SISYPHE
LE SECRET DES DIEUX

JEAN MORISOD

SISYPHE

LE SECRET DES DIEUX

Titre original : Sisyphe, le secret des dieux.
© 2022, Jean Morisod. Tous droits réservés.

Édition : BoD – Books on Demand, 12/14 rond-point des Champs-Élysées, 75008 Paris.

Cet ouvrage a été originellement publié en Suisse en auto-édition par Jean Morisod.

Illustration de couverture :
© Jean Morisod

ISBN : 978-2-3223-7877-7

Né en 1979 à Genève, en Suisse, dans une famille d'artistes, **Jean Morisod**, cantonnier de métier, a débuté son cheminement par le rap, l'écriture de paroles de chansons, la composition et la production musicale.

En 2018, il s'essaye avec succès à la peinture abstraite, prenant soin d'élargir ainsi son univers artistique.

C'est donc tout naturellement qu'en 2021 il commence à écrire **Sisyphe, le secret des dieux**, une histoire longtemps restée en gestation dans un coin de son esprit.

Il s'agit du premier roman d'une série d'aventure fantastique, en cours de parution.

Pour Eva, Dorian, Angelina et Livia…

CHAPITRE 1

GALÈRE PLEINE

Trois heures moins dix.

Encore cette maudite sonnerie qui retentit.

C'est déjà la troisième fois que je la retarde, si je continue, je vais bien finir par être à la bourre.

Ça changerait pour une fois, moi qui depuis dix-sept ans n'ai jamais été en retard. Enfin si, une fois ! Et cela pour un simple oubli de clefs de casier. J'avais dû retourner les chercher chez moi et, malgré le trajet aller-retour, j'étais arrivé avec seulement dix minutes de retard, autant dire un exploit. Une seule satanée fois en dix-sept ans.

Allez, debout feignant, le devoir t'appelle !

La main tendue vers la table de chevet pour agripper le paquet de clopes, j'en profite pour m'assoir sur le bord du lit en m'en allumant une. La première d'une longue série. Devant le miroir, je constate les années écoulées. Les rides soulignant mon teint pâle et ces vilaines poches sous mes yeux, qui telles des bagages semblent transporter un tas de souvenirs et d'anecdotes bien souvent peu avouables, me donnant plusieurs années de plus. Sans doute les séquelles de nuits sans fin d'une jeunesse trop arrosée et depuis bien longtemps envolée.

Oublie ça ! Dépêche-toi, tu vas être en retard, sombre idiot !

L'habituel café, bu à la va-vite comme toujours, et qui, malgré les deux sucres pour tenter de l'adoucir, me laisse encore au fond de la gorge un goût amer.

Juste le temps pour moi de faire les quelques gestes robotiques que tout le monde fait pour se donner allure humaine, puis je m'engouffre dans le vestibule, plongé dans le noir. Je passe le seuil de ma porte en vérifiant que je l'ai bien fermée à double tours avant de me jeter dans la gueule d'une ville encore endormie. Me voilà prêt enfin, du moins en apparence, à affronter une journée supplémentaire. Les lumières qui défilent, filtrées par la brume de la nuit, donnent à la ville une atmosphère spectrale, quasi fantomatique.

Chaque matin c'est pareil.

Le même chemin que la veille.

Je l'emprunte d'une façon tellement automatique que je pourrais sans doute le suivre les yeux fermés s'il n'y avait pas ces quelques badauds qui déambulent et traversent la route à tout va. Titubant dans les rues désertées de toute âme, ils ressemblent à des zombies sortis d'une série à succès américaine, dont le nom m'échappe.

Et ces couples amoureux, suintant l'alcool, essayant de croire que la vie est belle et pleine de surprises, passant leur chemin sans se soucier de celui des autres. Aveuglés par leur jeunesse ainsi qu'un sentiment de plénitude qui sera vite dissipé au réveil, évanoui et dilué dans un mélange de débauche, de plaisirs artificiels et de mal au crâne non assumé.

C'est dans cette atmosphère morose que, comme chaque jour, je reproduis sans cesse le même schéma formaté qu'on m'a appris à suivre.

La même place de parking qu'hier.

Les mêmes visages de collègues et les mêmes blagues stupides auxquelles je ris machinalement, comme je l'avais déjà fait la semaine d'avant. De même que les mois précédents, j'arborerai la même tenue, j'utiliserai le même matériel de travail, à savoir mon balai, ma pelle et ma galère — qui est une sorte de brouette où l'on met les déchets récoltés, que l'on pousse en traversant la ville par n'importe quelle saison et qui, par conséquent, porte très bien son nom.

J'emprunterai le même parcours et je balayerai assurément aujourd'hui les mêmes trottoirs que l'année dernière. La semaine prochaine, je croiserai les mêmes personnes et, sans l'ombre d'un doute, je prendrai ma pause dans le même bistrot le mois prochain que le mois dernier.

Bref, un éternel recommencement.

J'imagine que pour tenter de me convaincre moi-même que ma vie n'est pas complètement insignifiante, je m'efforce de sourire aux personnes que je croise d'un air courtois et jovial, mais sans jamais qu'on ne me remarque.

Je suis comme noyé dans la foule d'un peuple devenu fou, qui avance tête baissée sans jamais s'arrêter.

Aujourd'hui encore, comme toujours à la même heure, après avoir quasiment fini la matinée et par conséquent ma journée de travail, je m'arrête dans une ruelle où j'ai l'habitude de flâner un peu avant de rentrer. J'allume encore une énième cigarette. Je suis là mais personne ne me voit ! J'observe, regardant les gens se bousculer. Je les vois, chacun enfermé dans sa bulle pour se rendre sur son lieu de travail.

J'imagine facilement pourquoi ils courent. Ils se dépêchent d'aller gagner leurs sous.

Histoire de payer la voiture, les factures, les vacances de l'année prochaine, celles de l'année dernière, et de rembourser leur banque pour l'appartement de standing acheté à crédit sur trente ans. Après tout ça, vite partir chercher le gamin à l'école, acheter une babiole que madame a oubliée sur la liste des courses du samedi matin, rentrer, préparer la bouffe, manger, et s'il leur reste un peu d'énergie, une fois le gosse endormi, après avoir absorbé deux trois conneries à la télé, baiser ! Enfin, faire l'amour, pour donner à cette journée un peu de saveur et, qui sait, peut-être faire une petite sœur au grand couillon qui dort à coté sans se soucier de la vitre qu'il a cassée à l'école aujourd'hui en jetant une pierre à la récréation.

Des mères pressées, menaçant et tirant sur les bras de leurs enfants qui trainent la patte en mangeant innocemment une petite viennoiserie achetée à la va-vite chez le boulanger du coin de la rue. Pleurnichant, le visage plein de larmes et de chocolat, hélas se rendant sûrement inconsciemment compte qu'ils commencent déjà à s'enfermer, les pauvres, dans une routine inculquée depuis qu'ils sont en âge de suivre et de cheminer sur les traces de papa et maman.

Je suis triste en voyant cette vieille grand-mère, invisible comme moi, qui tous les matins, en me faisant un grand sourire affectueux, a décidé de sortir prendre le bus en pleine heure d'affluence au lieu d'attendre un horaire plus calme car elle a toute la journée à disposition depuis qu'elle ne fait prétendument plus partie du système.

Tout ça pour aller se payer un petit rien inutile, qu'elle aurait pu avoir hier quand elle était allée acheter une autre bricole dont elle n'avait absolument pas besoin, histoire de combler la lassitude de journées trop longues, remplies de solitude.

Car aucun de ses enfants, à qui elle a consacré toute sa vie et ses jeunes années, ni de ses petits-enfants qu'elle ne voit pas grandir, ne viendra sûrement la voir ni aujourd'hui, ni demain. Imaginez !

Le temps qu'il lui reste est entièrement dédié à ruminer le passé avec la bouleversante sensation d'être devenue inutile aux yeux d'une société qui avance à mille à l'heure et à laquelle elle ne comprend depuis longtemps déjà plus rien.

Il y a aussi ces gens qui trainent aux mêmes endroits, seuls ou en groupe, quémandant chaque jour leur pain quotidien, et qui goûtent à la rudesse de leurs destins pas très glamours, tout en restant pourtant toujours souriants et chantants. Bien sûr, avec un petit coup dans l'nez, mais au fond ils ne font de mal à personne, mis à part à eux-mêmes. Leurs chiens comme seuls compagnons de misère, endormis sur de vieux sacs de couchage jaunis par les intempéries et sans doute tout un tas d'histoires incongrues auxquelles je n'ose même pas songer.

D'un geste nonchalant j'éteins la braise de ma cigarette sous le talon de ma botte.

Tu devrais arrêter cette merde ! Tu tousses comme un vieillard. Bon, laisse le monde tourner comme il sait si bien le faire sans toi et reprends ton chemin.

Un papier par ci, une cannette par là… etc… etc… Je dois bien être à mon vingt-six millième mégot de clope ramassé de la journée. Quel heure est-il ? Le temps a filé.

Il est déjà l'heure de vider le fruit de mon labeur. C'est-à-dire ma galère, remplie d'immondices indescriptibles, que tous ces gens pressés, ou pas, ont sans le vouloir, bien entendu, laissées glisser de leurs poches et, trop fatigués pour se baisser ou ne s'étant pas rendu compte qu'ils les avaient perdues, m'ont laissé le soin de les ramasser pour eux. Quelques étapes un peu techniques dont je vous épargnerai les détails, et me voilà revenu à mon point de départ.

C'est-à-dire enfin dans ma tenue de « Monsieur tout le monde ».

Je regarde ma montre, la trotteuse s'approche inexorablement de la libération.

Tic... Tac... Tic... Tac...

Boum, midi ! Fini, enfin !

Je me dépêche comme à chaque fois de prendre ma voiture. Tous les midis je fais un signe en partant à quelques collègues que j'apprécie et qui, malgré leurs sourires et leurs saluts sympathiques en réponse, doivent se résoudre à rester là pour terminer leur journée de travail. Je m'arrête comme toujours au même feu rouge, sur le même trajet qu'à l'aller, mais avec un certain semblant de liberté. Sentiment bien vite oublié au moment où j'allume ma dernière cigarette. Il va falloir que j'aille au bureau de tabac, dire bonjour et rire bêtement à la vieille blague du buraliste, qu'il a dû me raconter une bonne trentaine de fois depuis le début de l'année. Il me connait tellement par cœur qu'il me tend mon paquet de clopes presque immédiatement en entendant la clochette de la porte d'entrée.

Aucun gain ! Voilà c'qu'il y a d'écrit sur mon ticket de Loto. Pas étonnant, à quelques exceptions près, ça fait bien vingt-cinq ans que c'est systématiquement écrit ça.

Et comme un bouffon tu as rejoué ! Imbécile !

Bientôt treize heures, mon ventre commence à se faire entendre. Je me dis tout l'temps qu'il faut que je mange sainement et pas une de ces saletés vite fait achetées dans n'importe quel fast-food du centre-ville qui va encore me rendre malade.

Mais comme toujours au final, malgré ma bonne volonté initiale, je me dirige tout le temps au même endroit. C'est-à-dire le fast-food d'en bas de chez moi.

Il n'est pas cher et le mec qui le tient est un vieux pote du quartier qui a eu la bonne idée de faire fructifier les économies de toute une jeunesse à faire du commerce, dans un genre d'import-export avec le Maroc.

J'ai jamais été très fort pour les affaires, je préfère laisser ça à ceux qui savent ou qui ont le courage de s'aventurer dans les eaux troubles de la finance et des transactions un peu trop obscures à mon gout.

Posé sur le canapé, je somnole, avec comme l'impression d'être rassasié.

À mes pieds, le sac en papier du fast-food, ouvert, servant de poubelle pour les restes de mon repas et les vieux mégots qui jonchaient le cendrier depuis des lustres. Je me sens doucement partir, hypnotisé par je ne sais quelle émission merdique qui passe sur ma télé 4K, que j'ai eue d'ailleurs aussi grâce à mon pote qui tient le fast-food d'en bas.

J'ai cru comprendre qu'il avait une affaire en partenariat avec un revendeur d'électroménager à des prix défiant toute concurrence.

Je crois que j'ai dû m'endormir.

Bien sûr que tu t'es endormi espèce d'inutile !

À la montre du micro-onde il est dix-huit heures dix-sept. La nuit va être longue. Et dire que demain je dois être de nouveau à mon poste à quatre heures du matin.

Les films, les séries et les cigarettes s'enchaînent. Un reste de je ne sais quel repas qui traînait au frigo me fera office de casse-croûte du soir. Ou plutôt de la nuit.

La montre indique vingt-trois heures quarante-six.

Je devrais dormir, mais impossible !

Il faut dormir !

Comme toujours je ne trouve pas le sommeil… Comme d'habitude tout se répète indéfiniment.

Rien ne s'arrête et malgré ça, tout recommence…

CHAPITRE 2

FEU ROUGE

Trois heures moins vingt.

Toujours cette maudite sonnerie qui retentit.

Les yeux ouverts, fixant une araignée en train de s'amuser cruellement avec un insecte dans un coin de sa toile accrochée au plafond du salon, juste au-dessus du canapé, je rêvasse, à moitié éveillé.

À un moment donné j'ai dû m'endormir ! Mais j'ai du mal à savoir exactement quand. Peu importe, car à cet instant je n'ai qu'une seule envie, c'est d'aller me recoucher dans mon lit. Dormir, dormir, toujours dormir.

Hors de question, pauvre loque ! Lève-toi et vas bosser, tu te reposeras quand tu seras mort !

La machine à café vibre plus fort aujourd'hui qu'à l'ordinaire.

Du moins c'est l'impression que me fait ressentir mon crâne encore tout engourdi par la nuit, enfin, par la micro sieste que mon corps m'a généreusement autorisé à faire. Déjà ma deuxième clope et je n'me suis même pas encore débarbouillé le visage. Je me dirige vers la salle de bain. Ce n'est qu'une fois devant la glace que je remarque à quel point mes cheveux sont devenus plus gris par endroits, sans doute n'y avais-je pas fait attention auparavant. Ça me donne un air plus sérieux, je ressemble de plus en plus à mon père.

Je ne sais pas si c'est bien ou mal, d'ailleurs je m'en fous !

Allez, tu vas être en retard, dépêche-toi vieux grisonnant !

Même itinéraire que la veille.

Quelques phares croisés dans la nuit viennent déchirer l'obscurité et me font plisser les yeux.

Au loin, un gyrophare de police, lancé à toute vitesse, arrose de bleu les façades d'immeubles encore endormis.

Je me demande bien où ils filent à cette allure. Vers quelle aventure me conduiraient-ils si je les suivais ? Et si j'y allais ? Non, arrête de rêver, couillon ! On t'attend là-bas, pour aller ramasser les cochonneries que les quelques souillasses qui inondent la ville, sous couvert de l'anonymat permis par l'obscurité, ont bien voulu te laisser l'honneur d'aller nettoyer derrière elles.

Même vestiaire que la veille, même ambiance.

Quelques-uns de mes collègues de misère ont les yeux encore collés. D'autres vocifèrent et crient, on se croirait presque dans un jardin d'enfants.

Vivement que quatre heures sonnent, qu'on puisse finalement commencer à travailler chacun de son côté, et que je puisse être seul, plongé dans le silence d'une ville qui sortira bientôt de la nuit.

Une demie galère plus tard, le jour se lève enfin.

Bizarrement, il fait plus froid quand les premiers rayons du soleil apparaissent et viennent frapper la cité d'une lumière apaisante. J'aime voir la brume sur l'eau de la rivière qui passe non loin de là et qui sépare la ville en deux, tel un sillon creusé semblable à une profonde cicatrice. Ces mêmes rues qui, quelques heures auparavant, donnaient l'impression d'être désertées et mortes, maintenant ressemblent à une fourmilière grouillant de vie où s'entremêlent toutes sortes d'individus.

Quelques étudiants se dirigent d'un pas assuré vers leur avenir tout tracé. Ils courent s'abreuver à la source du savoir, tout cela pour pouvoir briller en société, impressionner quelques jouvencelles écervelées dans je n'sais quel bar à vin à la mode, fréquenté par tout un tas de frimeurs et de jeunes filles à papa.

Ces jeunes héritières de bonne famille ruinées, et qui malgré cela se donnent des airs de princesses modernes, toujours dans l'extravagance. Adorant tous ce qui brille et familières de la vie nocturne, arborant des codes vestimentaires qu'elles exhibent comme des trophées, renvoyant l'image d'un semblant de bonheur et de réussite. Pauvres petites choses accros aux achats compulsifs, et qui trouveront sans aucun doute chaussure de luxe à leur pied en un homme riche en espèces sonnantes et trébuchantes, mais pauvre car humainement sans valeur. Bien trop souvent absent, les laissant seules dans leur belle cage dorée, et réussissant à les maintenir prisonnières en comblant tous leurs désirs superficiels.

Superficielle, voilà, c'est ça !

Voilà comment est cette société. Ultra rapide et sophistiquée mais superficielle.

Malade, décadente, un lieu où l'on fait semblant et où l'on s'aime virtuellement sur des réseaux sociaux tout juste bons à nous éloigner les uns des autres.

Tiens ! Justement, en parlant de ça, le voilà mon petit geek préféré! Tous les jours il traverse la route au même endroit sans regarder et en ne se rendant absolument pas compte du danger d'avoir les yeux fixés sur son téléphone, les écouteurs vissés dans les oreilles.

L'être humain a mis des milliers d'années à se redresser, et regardez-le, lui, cheveux longs, dos recourbé, tête basse, agrémenté de longs bras ballants. Le vrai primate deux point zéro.

Ou comme j'aime à l'appeler, l'homo UHD, ça pionce ça pionce.

Arrête donc de regarder les autres et de faire tes commentaires comme une vieille commère ! Regarde-toi plutôt ! Quarantenaire, éternel célibataire de l'extrême, une haleine de cendrier avec une petite tendance à puer des pieds et un fort penchant pour la dépression. Dépêche-toi de reprendre ta galère et repars au travail !

Quelques mouchoirs usagés, bouteilles de bière cassées, plastique en tout genre, papiers multicolores en farandole et masques chirurgicaux plus tard, j'arrive au bout d'une longue et lassante journée de boulot, qui en y repensant fut tout aussi chiante et répétitive que la précédente. Je rumine derrière mon volant en constatant que, comme hier, avant-hier et les jours d'avant, je suis toujours condamné à devoir me taper ce putain de feu rouge habituel de la sortie du boulot.

Et en y repensant à deux fois, je crois bien que jamais je n'ai réussi à l'avoir au vert.

Qu'est-ce que ça peut foutre au fond ! On s'en tape de ce sémaphore moderne. Je commence à me faire du souci ! J'en suis à me prendre la tête pour un feu de signalisation de rien du tout. C'est des signes de vieillesse, ça démarre par les cheveux poivre et sel, puis maintenant le feu rouge. Arrête avec ces conneries, pense à autre chose ! Mais à quoi ?

Tout d'abord, avant d'entreprendre quoi que ce soit, il faut que j'aille faire le plein d'essence, pisser un coup et ensuite, pourquoi pas, essayer de trouver quelque chose à faire qui pourrait me sortir de ce train-train quotidien qui me ronge doucement de l'intérieur chaque jour qui passe.

Il est déjà minuit passé depuis longtemps et je roule sans trop savoir où aller.

Presque aveuglé par les lumières de la ville après cette trop longue sieste quotidienne qui raccourcit mes jours et allonge mes nuits d'errance.

Inconsciemment, me revoilà arrêté à ce satané feu rouge.

T'es devenu une saloperie de robot, voilà tout ! Même quand tu es libre d'aller où bon te semble tu te retrouves à tourner en rond aux mêmes endroits que tous les jours. N'importe quoi ! Tu es juste prisonnier. Prisonnier de tes pensées « ultra philosophiques » et hypnotisé par une maudite ampoule vermeille qui te barre inexorablement la route !

Mon corps est soudain parcouru d'un frisson. Quelqu'un vient de frapper à la vitre côté passager ! C'est une jeune femme emmitouflée dans un genre de sweat à capuche noir qui ne laisse entrevoir qu'une partie de son visage.

Qu'est c'qu'elle veut celle-là ?

J'entrouvre le carreau et baisse la radio qui hurle une vieille rengaine des années soixante, pour entendre pénétrer une petite voix fluette laissant transparaître l'urgence, mais d'une douceur telle qu'elle vient me caresser l'oreille.

— Pourriez-vous m'emmener ? Je vous en supplie, j'ai de quoi vous payer !

Elle m'a pris pour un taxi celle-là ?

Ma première réaction, sans doute instinctive et plutôt avisée, fut de refermer la vitre et de tourner la tête pour l'ignorer.

Mais, je ne sais pas trop pourquoi, ma bouche à contrario de ma tête se mit à bégayer une phrase hésitante et mal formulée, qui semblait l'inviter à entrer.

Pendant cet échange, mon fidèle sémaphore avait eu le temps de passer au vert, puis de revenir au rouge. L'ambiance était devenue gênante dans le véhicule.

— Où voulez-vous que je vous emmène ?

Elle était plutôt frêle, et portait un sac en bandoulière, un leggins noir et une paire de sneakers blanche pour accompagner le hoodie dans lequel elle était toujours encapuchonnée. Elle semblait perdue, ne cessant de regarder à gauche et à droite comme si elle craignait que quelque chose surgisse de la nuit.

— Roulez, s'il vous plait, il ne faut pas qu'ils me trouvent !

Elle avait à peine fini sa phrase que deux hommes d'allure massive, dont on ne distinguait pas le visage, vinrent nous percuter, l'un côté passager et l'autre à l'arrière du véhicule.

Je ne sais si c'est la peur, l'adrénaline ou simplement le fait de vouloir inconsciemment sortir de ma vie monotone qui me fit appuyer sur l'accélérateur. Mais je sus à cet instant précis, au moment où je passais la première et grillais à toute vitesse ce fameux feu rouge qui m'avait tant de fois barré la route, que plus rien désormais ne ressemblerait à ma routine quotidienne.

CHAPITRE 3

TSIRAKIS

À peine m'étais-je rendu compte de ce que je venais de faire que ma tête se mit à tourner. Je sentais mon cœur battre à cent à l'heure dans une cage thoracique qui me paraissait beaucoup trop petite pour y contenir d'aussi violentes secousses.

– C'étaient qui ces mecs et qu'est-ce qu'ils te voulaient ?

Elle restait silencieuse, le regard fixé sur l'arrière de la route. Je repris mon sang-froid et ma respiration se calma. Mais sa façon de regarder derrière nous ne me plaisait pas le moins du monde.

Pour la rassurer, ou plus certainement me convaincre moi-même que le danger était loin de nous, je pris la parole.

– N'aie plus peur, ils sont loin déjà. Mais qu'est-ce qu'ils te voulaient ces deux grands guignols ? lui dis-je d'un ton calme et posé.

– Nous sommes toujours en danger ! me dit-elle d'une voix légèrement cassée, qui lui donnait un charme que je ne puis m'expliquer dans une telle situation.

– Nous ? Moi je n'ai rien à voir avec toute cette histoire !

Elle avait réussi à faire naître un frisson d'effroi qui me traversa la nuque.

– Je vais t'emmener au poste de police le plus proche ; là, tu pourras leur expliquer tous les détails de ce qui t'est arrivé. Si tu veux, je peux même venir avec toi pour donner mon témoignage sur ce qu'il vient de se produire. Je suis sûr qu'ils prendront ton histoire très au sérieux et qu'ils feront tout leur possible pour comprendre ta mésaventure en retrouvant ces inconnus.

J'essayais de donner l'impression que je savais ce qu'il fallait faire, mais en vérité j'ignorais totalement comment réagir à ce cas de figure, car je n'y avais jamais été confronté ; et, d'après le regard qu'elle me jeta, elle eut l'air de m'avoir démasqué.

– La police ? Ils ne peuvent rien contre ces gens-là ! Regardez !

Derrière nous, surgissant de nulle part, nous suivaient les grands phares d'une voiture sombre.

Je fus tout d'abord persuadé qu'il ne s'agissait que d'une voiture tout à fait banale et que cette pauvre fille apeurée avait été traumatisée par sa malheureuse expérience. Mais plus le bolide se rapprochait, plus il fallait me faire une raison et constater avec stupeur qu'il y avait bien là deux hommes de fortes carrures et ressemblant à s'y méprendre aux individus qui avaient surgi de l'ombre quelques instants auparavant.

Ils étaient à nos trousses, zigzagant de gauche à droite, essayant de nous doubler pour, j'imagine, nous barrer le chemin, ou pire, nous faire sortir de la route.

J'accélérai donc encore plus pour ne pas les laisser nous dépasser. Dans un mouvement brusque, il y eut un contact contre notre aile arrière gauche et pendant un moment j'eus l'impression que le pneu nous avait abandonné. Par miracle, j'arrivai in extremis à esquiver une seconde charge qui nous aurait à coup sûr fait basculer par-dessus le garde-fou, tout droit dans la rivière. Après de grands coups de frein, je réussis tant bien que mal à me retrouver derrière nos poursuivants puis, rapidement, je tournai dans une ruelle, les phares éteints, pour disparaître dans un petit parking de voitures d'occasion.

Alors que nous tentions de rester immobiles, malgré le stress extrême des dernières minutes passées à fuir, le regard de ma passagère et le mien se croisèrent. Les mots devinrent inutiles pour décrire la gravité de la situation dans laquelle nous étions embarqués tous les deux.

Quelques secondes s'écoulèrent quand, soudain, nous vîmes apparaître le véhicule de nos poursuivants. Il passa à quelques mètres devant nous puis marqua un temps d'arrêt.

L'ambiance dans la voiture devint encore plus tendue et angoissante, jusqu'à atteindre un point difficilement supportable. On arrivait à distinguer la silhouette des deux gorilles scrutant le parking. C'est à ce moment-là que je remarquai que le copilote avait une arme à feu à la main.

Putain mais couillon, dans quelle merde tu t'es encore fourré, bordel !

Une goutte de sueur ruissela de mon front à mon cou.

Y a vraiment que toi pour avoir une telle poisse et faire monter la seule fille de toute la ville poursuivie par des tueurs à gages armés jusqu'aux dents et bien décidés à nous faire la peau !

La voiture reprit de la vitesse et finit par disparaître dans la brume du bout de la rue.

Des soupirs de soulagement se firent entendre.

Une heure trente-quatre s'affichait sur le tableau de bord.

– Je suis vraiment désolée de vous avoir mis dans cette situation.

Le son de sa voix me fit presque sursauter.

– Monter dans votre voiture était un geste désespéré pour tenter de fuir ces hommes, j'ai dû faire un choix pour sauver ma vie. Je vous remercie d'avoir pris tous ces risques pour une parfaite inconnue ; mais maintenant, que vous le vouliez ou non, vous vous êtes embarqué dans quelque chose qui vous dépasse ! Qui nous dépasse tous les deux d'ailleurs !

Ma première réaction aurait été de la jeter hors de la caisse et de foutre le camp le plus vite possible ; mais, après avoir ravalé ma salive et pris une grande respiration par la fenêtre ouverte, je me ravisai en essayant de garder mon calme pour ne pas exploser de façon impulsive.

– Mais c'était quoi ça ? J'hallucine ! C'est qui ces gens et qu'est-ce qu'ils te veulent ?

Elle eut un instant d'hésitation puis finit par briser le silence.

– Ils se font appeler les Tsirakis.

Elle marqua un temps, puis poursuivit.

– Il faut que l'on fuie le plus loin possible, pouvez-vous m'emmener au port de Gênes ? Si nous partons maintenant, nous pouvons y être dans moins de cinq heures. Je vous en supplie ! Partons vite !

Je n'arrivais pas à y croire. Il fallait absolument que je sorte de ce mauvais rêve dans lequel je me débattais, car il ne pouvait pas s'agir d'autre chose. J'avais dû manger quelque chose au fast-food du coin qui avait mal passé et je m'étais endormi sur mon canapé, comme une vieille loque, devant je ne sais quel film ou série de seconde zone, et mon subconscient avait fait le reste !

Du moins j'aurais voulu que ce soit un rêve car la jeune fille, qui venait de laisser apparaître une chevelure rougeoyante en enlevant sa capuche, me semblait bien réelle. J'avais, l'espace d'un instant, oublié que dans un peu plus de deux heures je devrais reprendre mon poste de travail dans ma vie monotone, certes, mais bien réglée et sans danger, à part celui d'un ennui mortel, au moment où je découvris pour la première fois distinctement son visage.

Qui étaient ces Tsirakis ? Que lui voulaient-ils ? Pourquoi le port de Gênes ? Comment ? Tant de questions qui se bousculaient dans mon esprit, et pourtant, malgré toutes ces incertitudes, une seule réussit à se frayer un chemin jusqu'à mes lèvres.

– Quel est ton nom ?

Elle me regarda l'air étonnée ou plutôt intriguée.

– Je pense que tu peux me le dire après tout ce que nous avons vécu en si peu de temps !

Elle sourit, eut l'air d'hésiter pendant quelques secondes, puis finit par me le donner.

– Amadrya, mais vous pouvez m'appeler Rya ! Et vous ?

J'avais un gros problème avec mon prénom, et ce depuis l'enfance. Peut-être était-ce dû à la moquerie des enfants, quand ils sentent qu'on n'est déjà pas très bien dans sa peau, qu'on se cherche encore une identité et que son prénom ne reflète pas du tout l'image qu'on peut avoir de soi-même.

Pour cette raison, du plus loin que je me souvienne, on m'avait toujours appelé Ez. Simple diminutif de mon nom de famille, Velasquez.

– Tu peux m'appeler Ez ! lui dis-je.

Elle semblait surprise par ma réponse et elle répéta mon nom deux ou trois fois.

– Ez ! Ez, Ez…

Ça m'avait paru bizarre au premier abord d'entendre répéter mon nom de la sorte, mais je dois bien admettre que cela me faisait quelque chose. Quoi ? Je ne saurais le dire avec précision, mais cela me faisait très certainement plaisir de l'entendre dire d'une voix aussi douce et séduisante.

– Je ne peux malheureusement pas t'accompagner jusqu'à Gênes, j'ai une vie ici à Genève, des responsabilités et des engagements à tenir. Je ne peux pas partir sur un coup d'tête ! Tu comprends j'espère ?

Elle me regardait avec condescendance et c'est comme si je pouvais lire dans ses pupilles à quel point j'étais pitoyable et pathétique.

– Je peux te déposer à la gare et même te donner un peu d'argent pour rejoindre ta destination.

Tu es minable, mec ! Qui est-ce que tu veux convaincre avec ce discours débile ? Si elle pouvait aller prendre le train tu penses vraiment qu'elle aurait perdu son temps à monter dans ta caisse ?

Elle avait l'air résignée à écouter ce que je lui proposais.

– Allons-y, emmenez-moi vers la gare et je me débrouillerai, mais vous ne m'avez pas écoutée ! Je vous ai dit que vous étiez embarqué dans cette histoire ! Vous voulez reprendre le cours normal de votre vie ? Je comprends, car moi aussi je le voudrais, mais à l'heure qu'il est, ils sont déjà chez vous et savent sûrement déjà tout ce qu'il y a à savoir sur votre passé, votre famille, vos proches, où vous allez et quelles sont vos habitudes !

J'eus une montée d'adrénaline qui me noua le ventre, comme si un choc électrique m'avait figé sur place, ainsi que des picotements dans la tête.

N'écoute pas ces conneries, couillon ! Et en fait, tu ne connais rien de cette gonzesse ; oui, elle est plutôt charmante et surtout enfoncée dans un beau merdier, mais qu'est-ce que tu y peux, hein ? Chacun sa merde après tout, personne ne vient m'aider, moi, avec ma galère ! Je ne suis pas un bon samaritain, puis d'ailleurs pourquoi ça ne serait pas elle qui aurait fait un sale coup à quelqu'un qui chercherait simplement réparation ?

En faisant mine de ne pas avoir entendu ses avertissements, je repris.

– Je t'emmène à la gare comme on a dit.

Avant de redémarrer la voiture, je jetai un coup d'œil dans la ruelle. Elle était vide et embrumée.

Il n'y avait qu'un chat gris qui farfouillait dans une poubelle entrouverte, mais sinon pas le moindre bruit ni mouvement. Le démarrage de la voiture avait fait sursauter le chat de gouttière et les phares illuminèrent le brouillard en un voile blanc laiteux. Puis nous reprîmes la route.

L'ambiance était silencieuse et tendue dans l'habitacle.

Elle devait sans nul doute penser que j'étais le plus gros imbécile avec qui elle aurait pu choisir de s'enfuir.

On approchait des trois heures moins l'quart, et en me pressant un peu, je pouvais peut-être réussir à déposer la demoiselle à la gare et filer immédiatement au boulot, ce qui me paraissait tout à fait réalisable pour ne pas arriver en retard. J'étais tellement concentré sur l'itinéraire à emprunter pour ne pas perdre une minute de plus, que je ne réalisai pas immédiatement que des larmes coulaient sur le visage de Rya.

J'essayais de trouver quelque chose de pas trop balourd à dire pour lui remonter le moral.

– Tu sais une fois qu'on sera…

Je ne finis jamais ma phrase, car nous fûmes percutés de plein fouet par une voiture surgissant à grande vitesse de l'obscurité.

CHAPITRE 4

LE ROI DE LA FORÊT

J'ouvris les yeux, mais ma vision floue m'empêchait de voir distinctement ce qui m'entourait.

Après quelques secondes à essayer de comprendre où j'avais atterri, je clignai plusieurs fois des paupières pour m'apercevoir qu'autour de moi tout était à l'envers. Nous avions fait une embardée par-dessus le garde-fou et dévalé le long d'un ravin. Rya était à mes côtés, inconsciente, mais elle n'avait pas l'air d'être blessée. On aurait dit qu'elle dormait paisiblement dans une position incongrue.

Je décrochai ma ceinture de sécurité. Depuis toujours j'avais pris pour habitude de la mettre sans jamais imaginer qu'un jour on m'aurait volontairement percuté pour m'envoyer dans le décor et qu'elle me sauverait la vie. Je tombai comme du plomb sur le plafond de ce qu'il restait de ma bagnole.

Réussissant tant bien que mal à me glisser hors de l'habitacle, je réalisai que c'était grâce à un arbre que notre chute avait été arrêtée. Par contre, les malades qui nous avaient emboutis et leur véhicule n'avaient pas eu cette chance. Ils se trouvaient une cinquantaine de mètres plus bas, retournés sur le côté droit, et tout était immobile.

Je fis le tour de la carcasse de ma voiture et dus utiliser une pierre pour casser la vitre, qui avait étonnamment résisté à l'impact, afin de pouvoir en extirper Rya.

Avec difficulté mais délicatesse, je réussis à l'en sortir.

En me redressant, j'essayais d'apercevoir la route en haut de la pente qui nous avait vus chuter quelques instants plus tôt. À peine le temps pour moi de jeter un coup d'œil aux alentours, noyé dans la brume d'un bosquet encore endormi, que j'entendis un craquement derrière moi.

Je me retournai brusquement et je l'aperçus. Il y avait là un cerf majestueux qui m'observait à une distance de deux mètres. Il avait des bois immenses, son pelage soyeux et humide, sûrement à cause de la rosée du matin, lui donnait des reflets lumineux qui lui permettaient de se démarquer du décor environnant. Après toute cette violence et tout ce tumulte, cette apparition douce et apaisante semblait irréelle. Nous nous regardions fixement, nos respirations laissant apparaître de fins nuages de buée semblant se répondre. Son haleine étant profonde et puissante alors que la mienne était plus courte et saccadée.

Le temps eut l'air de se figer et les secondes parurent s'allonger. Subitement la bête sembla plus agitée. Un mouvement de la tête vers la gauche et en deux enjambées elle disparut dans la nuit.

Je fis volte-face pour essayer de comprendre ce qui avait bien pu effrayer l'animal et entraperçus une ombre fondre sur moi. C'était l'un des sbires, le visage ensanglanté, qui me saisit à la gorge avant de me faire basculer en arrière. L'intensité de l'attaque était violente et le poids de ce molosse qui me plaquait au sol quasiment impossible à faire vaciller.

La force exercée sur mon cou et le manque d'air me firent rapidement tourner la tête, je me débattais donc sans relâche pour tenter de me défaire de cette étreinte.

Malgré mon acharnement, mes efforts furent vains, mes membres commencèrent à s'engourdir et ma vision se troubla. C'était la fin !

À bout de force, mes bras tombèrent au sol. La douleur me semblait avoir totalement disparu, j'avais presque l'impression de planer et plus rien ne me semblait réel. Puis soudain, les mains de mon agresseur relâchèrent la pression, permettant à mon corps, poussé aux limites extrêmes entre la vie et la mort, de déclencher son instinct de survie en prenant une gigantesque et revigorante bouffée d'air.

Le géant s'écroula sur son flanc droit et, grâce à ma vue tout juste retrouvée, je pus apercevoir Rya qui se tenait debout face à moi, une pierre à la main. Elle venait d'assommer mon assaillant et, petit détail qui avait beaucoup d'importance à mes yeux, elle venait surtout de me sauver la vie.

Après qu'elle eut fouillé l'homme qui gisait maintenant au sol inconscient et récupéré quelques billets dans ses poches, Rya descendit vers la voiture en contrebas pour revenir quelques minutes plus tard avec un portefeuille et un pistolet.

– Qu'est-ce que tu comptes faire de cette arme ? Et son acolyte ? Tu l'as vu ?

Elle ne répondit pas.

– Il s'est enfui ?

Rya me regarda d'un air grave, d'une manière dont personne ne m'avait jamais regardé jusqu'à présent, et je compris immédiatement qu'on ne le verrait plus jamais.

Une angoisse me submergea à l'idée qu'à cause de nous, un homme était mort.

Comment surpasser ce genre de sentiment ? Jamais, au grand jamais, je n'aurais pu imaginer me retrouver dans une telle situation. Rya ne sembla pas être autant affectée que moi par cette terrible nouvelle. Elle me tira par le bras pour me hisser en haut de la pente que nous avions dégringolée.

L'astre solaire avait percé la nuit et étendait à présent ses rayons sur un jour nouveau. Ce matin, après les événements de ces dernières heures, me donnait la sensation étrange d'être le premier de toute mon existence où je me sentais finalement vivant.

– Vous allez bien ? m'interrogea Rya.

Cette question qui aurait pu paraître simple au premier abord, si on me l'avait posée un jour auparavant, me demanda un bon moment de réflexion, car après avoir vécu une course poursuite, un accident de la route, la destruction de ma caisse et une agression qui avait bien failli me voir passer l'arme à gauche, j'avais un peu de mal à répondre.

Sans oublier que nous étions maintenant impliqués dans la mort d'un individu. Nous n'étions bien sûr pas entièrement responsables, mais tout de même. Comment ferions-nous à présent pour expliquer tout cela ? Qui nous croirait ?

Et cet animal grandiose qui m'était apparu ? Cet instant m'avait profondément marqué, non seulement par la beauté de ce roi de la forêt mais surtout par son calme et l'atmosphère presque divine qui s'était dégagée lors de cette rencontre.

Sans parler de Rya qui, malgré son allure frêle, la douceur de sa voix et le côté presque angélique de son visage, avait fait irruption dans ma vie telle un raz de marée emportant tout avec lui sur son passage et faisant ainsi table rase d'une vie si répétitive qu'elle en était devenue terne et sans saveur.

D'ailleurs j'étais en retard au boulot et au vu des circonstances j'avais la forte impression que je n'y retournerais plus jamais.

Tiens, ça me fait penser que tu as oublié ton portable et tes clopes dans la voiture grand babouin !

Et après tout tant pis, je m'étais toujours laissé porter par les flots d'une vie morne et conventionnelle, mais aujourd'hui enfin je décidais de me battre contre cette condition et de remonter le grand fleuve de la vie à contre-courant ; bien sûr, un peu forcé par les événements.

Je décidai donc que j'allais aider Rya à rejoindre le port de Gênes, sans savoir pour quelle raison elle voulait s'y rendre.

Elle m'avait foutu dans un sacré merdier cette petite, mais à cet instant très précis je me rendis compte qu'elle m'avait surtout sauvé la vie dans tous les sens du terme.

– Oui, ça va ! Mais ça ira encore mieux quand tu arrêteras de me vouvoyer !

Elle se retourna vers moi, ses yeux couleur miel plongeant dans les miens, et eut un regard surpris, puis elle esquissa un sourire.

– Comment on va faire pour se rendre jusqu'à Gênes maintenant qu'on n'a plus de voiture ?

Elle eut l'air heureuse de m'entendre prononcer cette phrase et me dit simplement :

– Suis-moi !

CHAPITRE 5

MUSTANG

Une heure et demie que nous marchions. Une marche fatigante après une telle nuit sans sommeil, à faire attention à la moindre voiture et à chaque passant croisant notre chemin, pour être sûr que nous n'étions pas suivis.

Nous arrivâmes dans une sorte de hameau où quelques wagons de train en bois étaient disposés, un peu à la façon des vieux cirques itinérants. On se serait presque cru dans un ancien film en noir et blanc.

Cela semblait être un genre de petite communauté de babas cool qui avait décidé de vivre en périphérie de la ville, loin des habitations modernes, mais surtout hors de cette grande fourmilière à fabriquer des fous.

Lors de notre périple pour parvenir en ce lieu, nous n'avions pas beaucoup parlé, juste échangé quelques phrases banales et sans importance.

Rya m'avait juste dit qu'elle m'emmenait voir une connaissance qui pourrait nous aider.

Je n'imaginais pas que de tels lieux pouvaient encore exister de nos jours. Il est vrai que je ne sortais jamais de ma routine et des endroits qui m'étaient familiers. Mais il faut bien dire que cet attroupement de roulottes avait beaucoup de charme et une ambiance rassurante s'en dégageait.

Quelques enfants accoururent vers nous et se mirent à sauter autour de Rya, donnant l'impression d'accomplir une danse à la joie célébrant des retrouvailles.

Avec un sourire aux lèvres non dissimulé, je les regardais comme on regarde quelque chose de beau. Dans tout ce débordement d'allégresse, mes yeux ne pouvaient se détourner de Rya, elle était rayonnante face à toute cette ferveur collective. Je pouvais voir sur son visage une expression d'euphorie que je ne lui avais encore jamais vue et qui la rendait très belle.

– Amadrya ?

Un homme d'un certain âge regardait dans notre direction. Il avait les cheveux longs, ondulés et gris qui lui tombaient sur les épaules, portait une paire de lunettes rondes, était de taille moyenne et avait un peu d'embonpoint. Il eut une expression joviale dès qu'il l'aperçut et la reconnut.

Elle se fraya un chemin entre les enfants pour arriver dans les bras du vieil homme, qui la serra fortement contre lui. Elle était visiblement très émue, et une petite larme perla le long de sa joue et vint mourir dans le coin de sa bouche.

— Mais que fais-tu ici ma chérie ?

— C'est une longue histoire, nous avons marché jusqu'à toi. Je suis tellement heureuse de te revoir !

Elle tourna la tête dans ma direction.

— Je te présente Ez, c'est mon ami, et sans lui je ne serais jamais arrivée jusqu'ici.

Je m'approchai à mon tour et lui tendis une main amicale pour le saluer. Il me tira la main et me serra également entre ses bras d'une façon très familière, ce qui me surprit et me mit un peu mal à l'aise.

— Si tu es l'ami de ma petite Rya, tu fais partie de la famille, mon grand ! Je m'appelle Archimède Evariste Andrew Nevanlinna, mais tu peux m'appeler Archi ! me lança-t-il chaleureusement, ponctuant sa tirade d'un clin d'œil amical.

— Venez avec moi, vous avez sûrement envie de manger quelque chose et de vous décrasser après une si longue marche, ensuite vous me raconterez tout.

Jamais une douche ne m'avait fait me sentir aussi détendu et le repas que nous proposait Archi me mit du baume au cœur.

Il était composé de légumes grillés au feu de bois, bien sûr cultivés par la communauté et dont certains spécimens m'étaient totalement inconnus. Des fromages de fabrication personnelle venaient agrémenter le pain encore chaud à peine sorti du four. Ce fut un délice pour nos papilles, mais surtout une récompense bienvenue pour nos estomacs affamés. Une chaleur bienveillante sortait de l'âtre d'un poêle et venait nous procurer un bien-être tout aussi satisfaisant que les habits propres qu'on nous avait généreusement donnés.

Archi était sans cesse en train de plaisanter et ne ratait pas une occasion d'amuser la galerie, c'était un bon vivant qui vivait en accord avec la nature.

Après que nous lui eûmes donné une longue explication détaillée de notre rencontre et de nos péripéties, Archi prit un air sérieux et n'eut plus trop l'air d'avoir envie de plaisanter.

– Alors comme ça tu t'es fait embarquer dans cette histoire ? Je te trouve très courageux d'avoir pris le parti de Rya en sachant à qui et à quoi elle doit se confronter, bravo mon garçon ! Je ne sais pas si j'aurais osé faire un tel choix, sachant tous les dangers que vous devrez affronter.

– À vrai dire je ne sais que très peu de choses au sujet de ceux qui nous pourchassent. Tout ce que je sais c'est qu'ils s'appellent des Tsirakis, qu'ils sont déterminés et prêts à tout pour mettre la main sur Rya, mais je sais surtout qu'ils sont extrêmement dangereux.

Archi fit de grands yeux à Rya. Elle inclina la tête, n'osant pas affronter le regard du vieil homme.

– Tu ne lui as rien raconté ? Rya ! Comment peux-tu ne rien lui avoir dit ? Il est en droit de savoir la vérité.

Rya releva la tête, prit une grande inspiration et commença son récit.

– Je suis montée dans ta voiture pour tenter d'échapper à des Tsirakis déterminés à me capturer, comme tu le sais déjà. Je suis vraiment désolée de ne pas t'avoir dit tout ce que je m'apprête à te révéler, mais il faut que tu comprennes que je ne pouvais pas faire confiance à un parfait inconnu !

J'eus un rictus qui dut se voir car tous deux me regardèrent d'une façon curieuse.

– Je pourrais en dire autant ! Au moment où tu m'as interpelé, je t'ai fait confiance en te laissant entrer non seulement dans ma voiture mais aussi dans ma vie !

Elle eut un air gêné, presque timide, et continua.

– Les Tsirakis sont les hommes de main d'une organisation connue sous le nom de « La Grande Arche ». Elle se compose de personnages influents mais anonymes se faisant appeler les « Iliakos ». Ils sont quasiment intouchables et totalement mégalomanes.

Je la regardais fixement, attendant la réponse à la seule question qui m'intriguait vraiment depuis que cette histoire avait commencé.

– Ils ont une soif inconsidérée pour le pouvoir et ne connaissent pas de limite quand il s'agit d'obtenir quoi que ce soit. Tu comprends maintenant pourquoi, depuis le moment où nos chemins se sont croisés, il t'est devenu impossible de faire marche arrière pour reprendre ta vie d'avant.

Nous nous regardions les trois dans les yeux à tour de rôle ; tantôt Archi m'observait, tantôt il se tournait vers Rya qui faisait de même, puis elle se tournait vers moi, et cela sans dire un mot.

Archi tenta de briser la glace en proposant une petite eau-de-vie de derrière les fagots, afin de trinquer pour fêter notre arrivée. Selon lui, à présent, nous ne devions plus nous inquiéter, le danger était loin de nous et personne ne pouvait savoir comment nous retrouver dans cet endroit, loin de tout.

Je me risquai quand même à poser la question qui me turlupinait depuis bien trop longtemps pour que je puisse la garder pour moi.

— Merci pour cette mise à jour Rya ! Ce que tu me racontes là est délirant et presque impossible à croire si je ne l'avais pas vu de mes propres yeux !

C'est vrai qu'à ce moment-là je me croyais presque dans un film avec un scénario un peu cliché, et à vrai dire pas du tout à mon goût.

— Mais j'aimerais bien que tu m'expliques quelque chose ! Dis-moi pourquoi des gens qui peuvent obtenir l'inaccessible, qui jouent visiblement avec le monde comme Charlie Chaplin dans *Le Dictateur*, seraient aussi obstinés à nous rechercher — et ce avec tout le respect que j'ai pour toi. Ou plutôt qu'est-c'que tu as d'aussi spécial pour qu'une société secrète se donne autant de mal pour te retrouver ?

Elle et Archi se regardèrent un petit moment. Je me servis un verre de cette eau-de-vie à la pomme de terre en attendant ma réponse.

— J'ai vu des choses que je n'aurais pas dû voir et cela me poursuit aujourd'hui…

Elle éclata en sanglots et Archi la prit dans ses bras pour essayer de la consoler. J'avais touché la corde sensible et je dois bien admettre qu'à ce moment précis, je me sentais mal à l'aise de l'avoir bouleversée alors que nous étions pour la première fois depuis le début de notre périple dans un endroit paisible et entourés de gens agréables.

T'as encore tout gâché, pauvre tâche ! C'est vraiment ta spécialité de foutre la merde !

Elle finit par se reprendre. Archi nous proposa de dormir dans sa roulotte et dès le lendemain nous pourrions emprunter son « Bébé » pour prendre le large quand bon nous semblerait.

Rya alla se coucher.

Je restai là avec Archi qui m'invita à aller fumer sur un banc à quelques pas de la roulotte.

– Tu sais mon grand, je connais Rya depuis qu'elle est venue au monde, et je n'ai jamais rencontré personne avec une aussi grande faculté à reconnaître le bien. Si elle est venue à toi, c'est qu'elle a senti à quel point tu es extraordinaire. Ne doute jamais de cela, fils !

Je me sentais un peu troublé d'entendre parler de moi de la sorte, je n'avais vraiment pas l'habitude de recevoir des compliments et encore moins de la part d'un vieux hippie soixante-huitard avec des pieds aussi sales que ma galère un lendemain de fête nationale.

– Tu vois Archi, je connais Rya depuis moins longtemps que toi mais j'ai senti qu'elle était spéciale au moment même où elle a posé son regard sur moi. Elle m'a fait ressentir comme l'impression que ma vie n'était pas aussi dérisoire que ça !

Il se mit à rire tellement fort qu'il me fit sursauter, et il ne s'arrêtait plus, ce qui était presque gênant.

Puis il reprit soudainement un ton plus grave et me dit :

– Je n'ai pas toujours été comme tu me vois, décontracté, charmeur et avec un aussi haut potentiel de sympathie. Tu sais fils, j'ai travaillé pour la Grande Arche.

Mon sang ne fit qu'un tour. Cette révélation me laissait dans l'incompréhension la plus totale.

– Il fut un temps je travaillais dans la botanique, certains disaient même que j'étais un éminent spécialiste en la matière.

Il leva les yeux au ciel d'un air suffisant.

– J'imaginais pouvoir tout comprendre grâce à la science et que nul secret de la nature ne pouvait m'être dissimulé. Alors quand des hommes d'affaires pleins de fric viennent vous voir et vous offrent des budgets illimités, du matériel, des équipes et des projets à la pointe de la technologie moderne, il faut être très fort mentalement ou complètement saint d'esprit pour refuser une telle proposition. Bref ! Je connais bien ce dont ils sont capables, alors prends soin d'elle, emmène-la où tout a commencé, accompagne-là et promets-moi de rester à ses côtés jusqu'au bout.

Je ne savais plus quoi dire et essayais d'analyser les informations qui venaient de m'être révélées.

– Je n'ai pas compris pourquoi elle doit se rendre au port de Gênes. Tu sais quelque chose, Archi ?

Il se leva et tira une grande bouffée sur sa cigarette qu'il avait roulée avec du tabac issu de sa serre et une feuille de papier maïs qui avait fait la guerre, puis recracha un nuage épais de fumée jaunâtre.

– L'artiste, ne pose pas trop de questions car je ne suis pas sûr que tu veuilles obtenir des réponses qui sans nul doute ne te satisferont pas. Et pire encore, elles risqueraient surtout de te rendre anxieux ou incapable de te concentrer sur ton réel objectif, c'est-à-dire…

Des spots puissants inondèrent le camp d'une lumière aveuglante. En une fraction de seconde nous étions passés d'une nuit paisible à la panique générale, dans un semblant de journée artificielle. Les quelques femmes affolées par cette cohue partaient se réfugier dans toutes les directions, emportant avec elles des enfants apeurés.

Des cris se faisaient entendre un peu partout, puis apparurent des hommes en noir surgissant de l'obscurité et commençant à faire feu. Archi me tira par le bras et me fit pénétrer dans la roulotte en bois.

Là, Rya était déjà debout, prête à se défendre avec l'arme récupérée sur le Tsiraki mort. Je la dissuadai de faire une telle folie. Archi nous fit signe de fuir en empruntant une trappe qui menait sous le plancher du wagon-lit. Sa toge blanche laissait transparaître à présent une tâche écarlate qui s'agrandissait bien trop rapidement pour être une simple égratignure. Rya se mit à pleurer.

– Archi, viens avec nous !

Il me tendit un trousseau de clés.

– Allez jusqu'au bout du tunnel, là-bas mon Bébé vous attend, les enfants. Prenez soin de lui, et surtout prenez bien soin de vous !

Rya prit le vieil homme dans ses bras et eut quelques mots tendres pour lui. Archi renchérit :

– Ma chérie, il y a huit ans, quand je t'ai rencontrée pour la première fois, eh bien cela fut le plus beau jour de ma vie. Tu m'as fait me rendre compte de plein de choses qui m'étaient jusque-là inconnues. C'est de t'avoir connue qui a fait naître l'homme que je suis fier d'être aujourd'hui. Mais n'oublie pas, si tu sens que tu dois vraiment retourner là-bas, fais-le avec la plus grande prudence. Il vous faudra y descendre à l'aide de l'ancien ascenseur qui se trouve au sommet. S'il est encore en état de marche ce sera l'endroit le plus discret pour y entrer.

Il me regarda avec le regard d'un père bienveillant.

– Prends soin d'elle, fils !

Il arracha l'arme des mains de Rya et referma la trappe sur nous. Elle frappa sur la porte de bois qui nous séparait inexorablement de celui qu'elle considérait comme son père. On entendit quelques coups de feu puis, plus rien.

Nous courions le long d'une galerie exiguë. Je devais tirer Rya pour la faire avancer. Au bout d'une centaine de mètres nous arrivâmes dans une sorte de hangar, un genre de laboratoire plein d'espèces de plantes et de matériel d'expérience. Au milieu de la pièce, contrastant avec le décor alentour, trônait une superbe voiture, celle qui depuis ma plus tendre enfance m'avait toujours fait rêver. Une splendide Mustang Shelby gt500 noire de 1970. Sacré Archi, un mec plein de surprises !

On embarqua à bord de ce bolide et je mis le contact. Malgré l'urgence du moment, j'eus, pendant un instant, une sensation d'excitation comme un enfant le matin de Noël, au moment d'ouvrir ses cadeaux.

Nous nous faufilions hors du hangar le plus discrètement possible, les phares éteints, en s'enfonçant dans la nuit et en laissant derrière nous de grandes gerbes de flammes qui rapetissaient au fur et à mesure que l'on s'éloignait du campement, jusqu'à disparaître définitivement pour ne laisser plus qu'un souvenir de tristesse et de désolation.

Droit devant nous, l'inconnu.

CHAPITRE 6

QUATORZE ANS

Accroche-toi mec, on est encore vivants !
Enfin, pour le moment …

Nous avions trouvé une planque à une vingtaine de kilomètres du campement pour nous reposer et digérer ce mauvais rêve qui malheureusement n'en était pas un. À l'aube, nous reprîmes la route et le soleil était déjà haut dans le ciel quand nous arrivâmes au tunnel du Mont-Blanc. La route jusque-là m'avait paru suffisamment facile, mais conduire tout droit dans ce boyau étroit et sombre mettait à l'épreuve mon endurance.

Quant à empêcher mes paupières de se fermer, cela m'était devenu difficile. L'adrénaline était retombée depuis un petit moment maintenant, et le manque de sommeil se fit ressentir brusquement.

J'avais la drôle de sensation de déambuler entre le rêve et la réalité, comme hypnotisé et happé par ces halos de lumière qui défilaient à toute vitesse sous mes yeux de façon assommante.

Je n'attendais qu'une seule chose avec grande impatience, la lumière au bout du tunnel, et ce, dans tous les sens du terme.

La sortie approchait ; derrière, l'Italie et son lot d'incertitudes face à ce qui nous attendait là-bas. Rya s'était assoupie depuis belle lurette à présent. Son visage endormi renvoyait l'image même de la sérénité. Je luttais pour ne pas la rejoindre et résistais à l'appel de la fatigue.

Au moment où nous sortions des entrailles de la Terre, un soleil chaud inonda l'habitacle de la Mustang de ce pauvre Archi.

Je repensais aux événements auxquels nous avions échappé de justesse, grâce au courage de cet ami fidèle à Rya qui avait sauvé nos vies en sacrifiant la sienne. Des images imprimées sur ma rétine du hameau rongé par les flammes et les cris de ses habitants ne cessaient de hanter mes pensées.

En passant la douane italienne, j'essayais d'avoir l'air aussi naturel que possible. J'avais mis des lunettes de soleil trouvées plus tôt dans la boîte à gants.

– Bonjour monsieur, vous n'avez rien à déclarer ? me dit l'homme en uniforme qui avait un teint hâlé et un fort accent transalpin. Je répondis par la négative.

– Et où vous rendez-vous ?

Je n'avais pas répondu à la question que la voix de Rya se fit entendre.

– Nous sommes déjà arrivés chez ta *Nonna* mon chéri ? dit-elle en ouvrant les yeux et en s'étirant.

Elle aperçut le douanier.

– Oh, pardon, monsieur l'agent ! reprit-elle avec un sourire gêné et les joues rougissantes.

L'homme esquissa un sourire à son tour et d'un regard complice par-dessus ses lunettes fumées me fit signe de passer.

Nous avions enfin réussi à rentrer sur le territoire de notre prochaine aventure, il ne restait plus qu'une poignée d'heures de route avant d'arriver à Gênes et à son fameux port qui semblait plus que tout attirer Rya jusqu'à lui. Je ne savais toujours pas pourquoi, mais quelque chose me disait que je ne tarderais pas à le savoir.

Nous roulions encore, mais quelques minutes plus tard je décidai de m'arrêter vers une ferme isolée à l'orée d'une forêt de conifères. Il fallait absolument que je puisse me reposer pendant quelque temps.

Je crois bien que jamais de ma vie je n'avais été aussi fatigué. En m'allongeant un peu, inclinant le siège en cuir sombre de la Shelby, je regardais Rya par la fenêtre, descendue se dégourdir les jambes.

Elle était magnifique dans cette campagne.

Le vent faisait planer les mèches de sa chevelure couleur de feu, et les fleurs des champs qui inondaient les pâturages alentour ainsi que celles qui ornaient sa robe n'apportaient que plus de charme à l'image idyllique de carte postale qui s'étalait sous mon regard.

Je songeais à ce qu'elle avait dit à l'officier de douane un peu auparavant. J'avais surtout relevé quelques mots bien précis qui ne cessaient de me tourner dans la tête. Elle m'avait appelé « mon chéri » !

Bien sûr, je savais qu'il s'agissait d'une ruse pour noyer le poisson, et qu'aucune *Nonna* ne nous attendait nulle part... Mais la sensation que j'avais ressentie en nous imaginant, l'espace d'un instant, tous les deux comme des amoureux qui venaient passer quelques jours en Italie, faisait naître chez moi un sentiment nouveau ou depuis fort longtemps oublié.

C'est grâce à ces pensées que mon esprit commença lentement à se détendre et à lâcher prise, mes paupières étaient lourdes et plus rien à ce moment-là ne pouvait les retenir. Je finis donc bien naturellement par sombrer dans les bras de Morphée.

J'avais froid ! Je me réveillai après avoir dormi sans doute une ou deux heures, ayant presque perdu la notion du temps. Il faisait encore jour mais le soleil était passé derrière des arbres qui nous surplombaient, et empêchaient de ce fait ses rayons chaleureux de parvenir jusqu'à nous. Enfin, jusqu'à moi, car Rya n'était pas revenue dans la voiture et je ne la voyais plus dans les environs. Je descendis difficilement du véhicule car mes jambes étaient toutes engourdies par la position désastreuse que j'avais gardée pendant tout le temps de ma longue sieste. Où pouvait-elle bien être ?

– RYA ! RYA ?

Pas de réponse. Je regardai aux alentours ; rien du côté des champs et de la plaine. Peut-être était-elle allée dans la forêt ? Je décidai d'aller y jeter un coup d'œil.

C'était une belle forêt de sapins, typique des paysages d'alpages. Quelques chants d'oiseaux parvenaient à mes oreilles et seul le bruit de mes pas semblait troubler le calme et le silence qui régnaient dans cet endroit somptueux. Malgré la beauté de ces lieux, après quelques instants à chercher Rya, tout ceci commençait à me paraître un peu trop long.

En continuant à chercher, je finis par me sentir presque épié, comme si j'avais des yeux braqués sur moi, et cette sensation semblait tellement réelle que j'arrêtai pendant un moment mes investigations pour regarder plus attentivement autour de moi.

Rien à gauche, rien à droite. Ce fut seulement à l'instant où je levais mon regard sur les branches d'un grand arbre colossal que je le vis. Il y avait là un aigle sublime qui m'observait fixement sans jamais me quitter du regard.

Il arborait un plumage brun sur le bas de son corps ; ses serres puissantes, accrochées avec force sur la branche qui se trouvait sans doute à une dizaine de mètres de moi, étaient de couleur jaunâtre.

Sa tête, impressionnant par son regard perçant, était coiffée de plumes blanches, lisses et brillantes.

Nous nous regardions chacun avec respect.

Ce véritable instant de plénitude pénétrait jusqu'au plus profond de mon âme et ne se termina qu'au moment où ce magnifique rapace reprit son envol, semblant glisser dans les airs en silence avec la grâce d'un dieu des cieux.

Je n'eus que quelques secondes pour me remettre de cette rencontre car, à peine ce splendide animal disparu, un bruit me fit tourner la tête. Je vis Rya sortir de derrière des buissons et s'approcher de moi.

– Tu as l'air d'avoir bien dormi. Mais pourquoi souris-tu ainsi ?

Elle avait l'air heureuse d'être ici avec moi, et je l'étais aussi. Je la trouvais, à cet instant précis, encore plus belle que jamais. L'idée d'être là, dans une nature aussi luxuriante, seul avec Rya, somptueuse, ses yeux brillants ne regardant que moi, faisait naître au plus profond de mon cœur une émotion difficile à décrire. Seuls ceux qui ont un jour ressenti ce frisson parcourir la totalité de leur corps pourraient, j'imagine, avoir une idée de l'envie frénétique qui me vint de l'embrasser.

Elle s'approcha de plus en plus près, tendit sa main vers mon cou, et à ce moment-là, j'eus le sentiment que mon cœur allait bondir hors de ma poitrine.

On aurait dit que j'avais quatorze ans et que la plus belle fille de l'école était sur le point de m'embrasser langoureusement. Elle enleva une petite brindille qui se trouvait sur mon épaule.

– Allez ! Ne perdons pas de temps, plus vite nous aurons repris la route et plus vite nous arriverons.

Elle passa sur ma droite et descendit le bosquet à grandes enjambées en direction de la voiture qui nous attendait en contrebas à la sortie du bois.

Pauvre imbécile ! Pour qui tu te prends, voyons ? Que voudrais-tu qu'une femme aussi fascinante qu'elle fasse d'un vieux gorille aux poils argentés comme toi ?

Nous avalions les kilomètres sans quasiment jamais nous arrêter, puis fîmes tout de même une petite halte pour nous ravitailler.

Je trouvais la nourriture des stations essence dégoûtante en règle générale, mais il faut bien admettre que les Italiens avaient de la chance et que les quelques victuailles achetées furent un vrai délice. Était-ce parce que nous étions affamés ? Bref !

Après nous être désaltérés et avoir mangé à notre faim, le temps était venu pour moi de savoir plus précisément pour quelle raison exactement nous nous rendions dans ce port. Devions-nous prendre un bateau ? Avions-nous rendez-vous avec quelqu'un ?

Toutes des questions qui me torturaient l'esprit et auxquelles je préférais penser, plutôt qu'à cet instant gênant dans les bois qui me laisserait sans doute pour longtemps encore un goût amer de déception en repensant au désir que j'avais ressenti et surtout à ma honte si par hasard Rya devait l'apprendre un jour.

Je baissai le poste de radio, qui crachait un bon vieux *My world is empty without you* interprété par un certain José Feliciano, pour interroger Rya.

– Bien, qu'est-c'qu'on va faire plus exactement à Gênes ?

Elle prit un air un peu embêté.

– Nous allons devoir trouver un homme du nom de Poniria, il nous aidera à trouver un bateau bien précis. Pour être plus exact, le seul navire qui pourra nous faire aller jusqu'à notre prochaine destination le plus rapidement possible.

J'avais donc ma réponse : nous nous rendions bien à Gênes pour y prendre un bateau, mais quelle était cette nouvelle destination ?

– Dis-moi Rya, nous allons devoir aller loin ? De quelle nouvelle destination s'agit-il ? Tu pourrais quand même m'en dire un peu plus à présent ?

Elle eut l'attitude de quelqu'un qui est agacé, comme si mes questions étaient tellement évidentes et que j'étais comme un enfant lors d'un voyage en voiture sur la route des vacances qui demande sans cesse : « On arrive bientôt maman ? » Mais après une petite respiration elle prit la peine de me répondre.

– Nous allons à Malte, et pour le moment la suite de notre itinéraire n'a pas d'importance, si nous arrivons sans encombre là-bas ce sera déjà bien.

Je devais bien admettre que tous ces secrets commençaient gentiment à me taper sur le système. J'avais beau avoir énormément de patience, je dus faire preuve de beaucoup de sang froid pour ne pas éclater dans un esclandre mémorable, ce qui, dans mon cas, ne se produisait quasiment jamais, c'est-à-dire à peu près une fois par décennie.

J'imagine avoir eu une expression sur le visage qui lui fit comprendre que si elle continuait sur cette voie, j'allais finir par sortir de mes gonds. Et que dans le cas présent il n'était pas dans notre intérêt de créer des tensions supplémentaires qui viendraient polluer et sûrement même aggraver une situation déjà explosive.

– Nous devons rejoindre la Crète, en Grèce ! Aucun navire ne nous y amènera directement et c'est pour cette raison bien précise que nous devons faire halte pour une correspondance sur l'île de Malte.

Maintenant nous allions en Crète !

Mais quelles autres surprises devaient encore m'être révélées ? Allions nous aller jusqu'en Australie où un groupe d'aborigènes nous attendait pour nous faire passer en Tasmanie et pour finir achever notre périple dans les montagnes de Nouvelle-Zélande, ou je ne sais quel autre coin reculé de l'Océanie ?

Tout ceci me parut complètement fou, mais malgré cela, le temps défila si vite que nous arrivâmes sans nous en rendre compte à Gênes en début de soirée, en ayant pris des chemins un peu à l'écart des grands axes. Nous étions arrivés à notre destination qui pour finir n'était pas notre but ultime, mais visiblement le point de départ pour d'autres destinations encore.

CHAPITRE 7

SILHOUETTES GRISES

À l'instant même où nous descendions de la voiture, nous fûmes comme captivés par le vent de la mer qui venait caresser nos visages et y déposer délicatement une infime pointe de sel sur nos lèvres.

Cela faisait des années que nous ne nous étions pas retrouvés face à face, probablement plus de vingt-cinq ans. Depuis, j'avais pris de l'âge mais elle n'avait pas changé et était restée comme dans mes souvenirs d'enfance. Mes parents, paix à leur âme, m'avaient emmené voir la grande bleue l'été de mes quinze ans sur une plage proche de Saint-Malo, et ce souvenir ne m'avait jamais abandonné.

Rya s'était avancée sur les rochers. Je la regardais scrutant l'horizon, sa robe à fleurs flottant dans les airs comme des pétales frêles et légers que l'on cueille au printemps.

Au loin, quelques ferrys et autres cargos laissaient entrevoir leurs silhouettes gigantesques qui se fondaient désormais dans un mélange de couleurs allant du rouge au bleu nuit, en passant par le jaune orangé. L'atmosphère, ô combien romantique, de ce crépuscule, me fit presque oublier la raison pour laquelle nous étions arrivés jusqu'ici.

Pendant un instant, que j'aurais voulu faire durer pour l'éternité, je ne pouvais plus défaire mon regard de ce décor splendide qui comportait tous les éléments capables d'inspirer n'importe quel peintre ou poète, pour autant qu'il soit capable de faire ressentir l'essence même de son sujet principal trônant au centre de ce tableau et qui, à mes yeux, chaque jour un peu plus, remplissait ce grand vide qui faisait tant défaut à ma vie jusque-là.

C'est fou comme un si beau ciel aux teintes chatoyantes est capable de passer en un instant d'un tel romantisme à une ambiance beaucoup plus lourde et dramatique. C'est ce qui se produisit, du moins c'est l'impression que j'eus, au moment où Rya se mit à gémir.

Puis elle se recroquevilla sur elle-même en position fœtale, comme foudroyée par une douleur d'une puissance incommensurable.

Je me précipitai vers elle, à la vitesse d'un cheval au galop, mais juste pas assez vite pour l'atteindre avant qu'elle ne bascule sur le côté et ne chute à quelques mètres plus bas dans une eau tranquille et lisse comme un miroir. Calme qui s'interrompit pour laisser place à des éclaboussures chaotiques au moment de l'impact.

Je pus encore la voir pendant un temps, alors que les remous causés par cette dégringolade commençaient à se faire moins puissants, puis elle s'enfonça brusquement plus profondément jusqu'à disparaître complètement.

Sans attendre, je plongeai à son secours.

Une fois mon corps totalement immergé dans l'eau, je n'entendais que le frétillement des bulles cherchant leur chemin pour s'échapper en direction de la surface. Dans un premier temps, j'avais les yeux fermés, puis je les ouvris, ressentant comme une légère brulure causée par le sel, et, finalement, je ne vis que l'obscurité abyssale et immense qui se trouvait face à moi. Je cherchais frénétiquement d'un côté et de l'autre, pour au moins entrapercevoir quelque chose qui aurait pu me donner un indice sur l'endroit précis où concentrer mes recherches. Mais rien !

Pas la moindre bulle, rien qui ne se démarquait du fond marin d'un noir d'encre de chine.

L'air commençant à manquer, je résistais encore quelques secondes à l'instinct qui me poussait inexorablement à me diriger vers la surface pour faire cesser cette brulure qui s'emparait de ma poitrine et se diffusait jusqu'à ma gorge ainsi qu'à ma tête.

Je dus me résoudre à remonter pour redescendre aussitôt après avoir pris une grande inspiration, tentant de m'enfoncer plus profondément encore malgré la pression exercée sur mes oreilles et la difficulté de nager tout habillé.

Puis soudain, je l'aperçus devant moi, elle semblait en apesanteur. Ses vêtements et ses cheveux, ondulant lentement autour d'elle, pareils à des flammes, ne sachant dans quelle direction aller.

Je la saisis par la taille et initiai ma remontée quand, subitement et en silence, apparurent deux silhouettes grises qui venaient à nous comme poussées par la curiosité de nous voir aussi vulnérables, ne cherchant qu'à pouvoir regagner l'air libre et le rivage.

C'était un couple de dauphins !

Ils étaient là, tournant et exécutant des mouvements pareils à une danse, tout en nous accompagnant dans notre effort. On aurait dit des enfants s'amusant ensemble, nous faisant signe de les rejoindre pour jouer avec eux.

Cette ascension fut pénible, ne semblant jamais finir. Mais les encouragements de ces deux anges de la mer me donnaient la force de dépasser mes limites et de réussir finalement, dans un effort qui pour moi fut surhumain, à émerger et sortir la tête de l'eau dans une grande inspiration profonde. En nageant et approchant du récif, je regardais derrière nous pour y voir nos deux heureux compagnons reprendre la direction du large, sautant hors de l'eau, semblant nous souhaiter bonne chance pour la suite de nos aventures.

Arrivé sur le rivage, je plaçai Rya sur le dos pour commencer à lui prodiguer les premiers secours, auxquels j'avais été formé, un jour il y a longtemps, au travail, car nous étions obligés de les connaitre au cas où quelqu'un ferait un malaise en pleine rue.

Mais il faut bien admettre que jamais je n'aurais imaginé devoir les donner à une personne réelle. Et encore moins à quelqu'un qui m'était devenu aussi cher que cette femme qui se trouvait là devant moi. Elle ne respirait plus et son pouls était très faible. Je décidai donc de lui faire un massage cardiaque.

Un... deux... trois... quatre... cinq... Respire !

Je lui fis aussi du bouche-à-bouche pour essayer de lui désobstruer la gorge et les poumons.

Je réitérai plusieurs fois l'opération, quand subitement elle recracha l'eau qui l'empêchait de respirer et prit une grande bouffée d'air frais qui lui fit reprendre connaissance subitement.

J'avais réussi à la ramener à la vie.

Quelle étrange sensation de se dire à quel point la vie est fragile ! Et que chaque inspiration représente un miracle qu'on a trop souvent l'habitude d'oublier par insouciance. Tout simplement parce que nous sommes plongés dans nos soucis éphémères d'humains bêtement coincés dans un monde artificiel de consommation extrême, sans aucun intérêt au regard de la valeur de nos existences.

Rya ouvrit les yeux; j'avais enfin retrouvé ce regard qui m'avait sorti de la nuit et poussé à faire des choses que même mon imaginaire m'aurait cru incapable de réussir à réaliser. Il lui fallut un petit instant pour remettre ses idées en place mais elle finit par me sourire.

– Je crois que j'ai glissé ! me dit-elle d'un ton innocent avec le regard d'une petite fille qui aurait fait une bêtise.

Je me mis à rire. Sûrement le contrecoup de cette montée de stress subite qui m'avait submergé au moment de passer à l'action. Elle se mit à rire également tout en se mettant en position assise. Puis elle observa les environs comme si elle cherchait quelque chose et, le regard fixé sur la mer, elle me dit le plus simplement du monde, comme si je lui avais tendu le sel :

– Merci.

Alors, tout mouillés, nous sommes remontés sur les rochers pour reprendre la voiture et notre route après cet interlude.

En roulant pour nous rendre au port, j'interrogeais Rya sur ce qui lui était arrivé pour tomber ainsi à l'eau.

– Je ne sais absolument pas ce qui s'est passé, tout ce que je sais c'est que j'ai ressenti une douleur infernale dans la poitrine. C'est comme si quelqu'un m'arrachait le cœur et le serrait dans ses mains. Ensuite je ne me rappelle que de m'être retrouvée dans tes bras sur la plage.

Elle avait l'air songeuse.

– C'est étrange ! J'ai aussi eu l'impression que dans l'eau je n'étais pas seule. Enfin, bien sûr tu étais là toi, mais mis à part ça, c'est comme si quelque chose ou quelqu'un était avec nous.

Je lui racontai que nous avions été accompagnés par ces deux splendides animaux qui étaient venus à notre rencontre et avec quelle incroyable bienveillance ils m'avaient aidé en me donnant de la force et du courage pour réussir à nous extirper de cette mésaventure.

Elle eut une expression de ravissement, puis elle me dit quelque chose qui me toucha profondément :

– J'aurais bien aimé les voir aussi, dommage ! Tu as beaucoup de chance Ez ! Mais tu le mérites, tu es quelqu'un d'extraordinaire.

Cette dernière phrase me laissait sans voix, incapable de dire un mot. Je restai donc muet jusqu'à notre arrivée sur les docks.

Là, des milliers de containers entassés attendaient patiemment le moment de rejoindre leurs ports d'attache, sans doute situés un peu à toutes les latitudes du globe.

Il nous fallait trouver ce fameux passeur, qui selon Rya pouvait nous faire embarquer à bord du navire qui nous emmènerait jusqu'à Malte.

Mais comment le trouver ?

Les embarcadères s'étendaient au-delà de ce que nos yeux pouvaient voir. En nous approchant de quelques marins très bruyants, visiblement très occupés à tergiverser sur la façon la plus rapide et efficace de décharger des lots de marchandises, je fus interpelé par leurs apparences physiques très différentes les unes des autres. On pouvait sans grande difficulté arriver à déterminer de quels coins du monde ils étaient originaires. Quand ils nous virent arriver, ils se turent et leurs regards se tournèrent immédiatement vers Rya, qui, sans se démonter, s'approcha d'eux et après les avoir salués d'un geste franc de la main, leur demanda où l'on pouvait trouver un certain Poniria. Ils avaient tous l'air de gros durs avec un fort taux de testostérone et à première vue d'alcoolémie aussi. Ils la toisèrent de haut en bas avec des dégaines à faire fuir quiconque d'un peu sensé qui voudrait éviter les ennuis.

L'un d'eux, le plus petit et le plus vilain, prit la parole :

– Si c'est pour lui acheter ses lots d'bananes, madame, j'vous conseille de plutôt vous diriger vers les services de mon très cher équipier et ami m'sieur Fynigann ici présent.

Il pointa du doigt une espèce de géant chauve et balafré sur la moitié gauche du visage qui nous regardait avec un large sourire laissant entrevoir une dentition plus ou moins éparse agrémentée ici et là de chicots en or brillant apportant un peu de gaité au milieu de ce décor de désolation.

Puis il ajouta :

– J'suis désolé car j'déteste causer mal et surtout en présence d'une jolie dame, mais laissez-moi vous dire qu'les bananes, et d'ailleurs toutes les marchandises de ce vieux brigand de Poniria, elles sont comme lui, toutes pourries !

Le visage de Rya prit un air amusé car il faut bien dire que la dégaine et la façon de parler de ce petit bonhomme sec étaient très amusantes. Je ne le laissais pas transparaître dans mon attitude, mais à la vue de ces hommes ressemblant à des caricatures vivantes, je riais intérieurement pour ne pas les offusquer et nous attirer des problèmes supplémentaires qui, dans notre situation, auraient été superflus et pas du tout nécessaires.

– Non, nous voulons simplement le voir pour une affaire privée. Pouvez-vous nous indiquer où le trouver, cher monsieur ? Mais n'ayez crainte : si nous devions acheter ou marchander quelque chose, nous viendrions profiter de vos services et de ceux de monsieur Fynigann avec le plus grand plaisir.

Le petit bonhomme eut un grand sourire de satisfaction, ne laissant quant à lui apparaître aucune dent derrière ses lèvres recroquevillées sur de petites gencives nues.

— Vous pourrez l'trouver probablement vers l'quai B24 à côté des cabanes de pêcheurs. Et si vous avez b'soin d'nos services demandez m'sieur Martinez, c'est mon nom, tout le monde me connait ici, c'est moi le capitaine du navire que voici.

Il nous désigna un bateau de taille moyenne mais qui parut gigantesque pour un aussi petit capitaine.

— Et m'sieur Fynigann est mon second, nous sommes à nous deux l'équipage du légendaire *Volubilis*.

Nous prîmes congé de ces extravagants personnages après les avoir remerciés pour leurs informations et nous nous dirigeâmes vers le quai B24 pour y trouver le dénommé Poniria.

CHAPITRE 8

CAPHARNAÜM

Nous avions atteint le quai B24 en peu de temps car les indications du petit capitaine avaient été très précises.

Il y avait là des cabanes de pêcheurs avec d'énormes tas de filets de pêche entreposés les uns à côté des autres, laissant s'échapper une forte odeur de poisson. Assis devant une des cabanes, un pêcheur nous indiqua un cabanon. Je frappai à la porte.

Une femme nous ouvrit. Elle avait les bras tout tatoués, le visage cerné, les cheveux gras tombant sur les épaules et une cigarette au coin de la bouche à moitié éteinte.

– Vous voulez quoi ?

Quel accueil !

C'est bizarre mais si j'avais suivi mon instinct, j'aurais pris Rya par la main et l'aurais emmenée loin de cet endroit malsain.

Après que nous lui eûmes donné la raison de notre présence, elle nous fit entrer. Il régnait une atmosphère bien particulière, hormis l'odeur nauséabonde de poisson mélangé avec je ne sais quelle autre chose peu ragoûtante qui trainait dans l'air. Le désordre qui s'étalait dans ce taudis donnait l'impression d'être dans un squat ou une maison abandonnée. Les rideaux aux fenêtres laissaient à peine pénétrer quelques rayons de lumière venus de l'extérieur. Une ampoule nue pendait au plafond et éclairait la pièce d'une lumière jaunâtre. L'ambiance tamisée de la scène rendait la femme au maquillage trop appuyé encore plus inquiétante qu'au moment où elle nous avait ouvert.

Elle nous laissa seuls en sortant par une porte quasiment plongée dans le noir au fond de la pièce.

Nous nous regardions Rya et moi d'un air perplexe. Au bout de cinq minutes à attendre dans la pénombre de ce capharnaüm, un homme trapu surgit de la porte par où était partie la femme.

Il arborait sur son visage un grand sourire amical, qui ne réussit cependant pas à camoufler sa chemise blanche sale à moitié ouverte sur un torse velu, orné d'une chaine en or avec un pendentif en forme de croix, où un christ crucifié pendait de gauche à droite. Il était chauve sur le dessus mais avait des cheveux longs, gras et frisés sur les côtés du crâne qui lui donnaient l'air d'un fou. Il prit la parole d'un ton énergique avec un accent prononcé venant de l'est :

— Soyez les bienvenus ! Je suis vraiment désolé pour le désordre mais madame Poniria a quelque peu de mal à honorer ses obligations. Mais puis-je vous offrir quelque chose à boire ?

Il se dirigea vers un réfrigérateur encore plus sale que sa chemise. Mais au moment où il posa sa main sur la poignée, Rya l'interrompit :

— Nous sommes là pour que vous nous fassiez embarquer, nous deux et notre voiture, à bord d'un ferry à destination de Malte. Cela sans que personne ne soit au courant de notre présence à bord et surtout sans poser de questions. Êtes-vous capable de faire ça ?

Il se retourna vers nous. L'expression de son visage changea du tout au tout pour laisser apparaître quelque chose de sombre et malsain qui se mariait tout à fait avec le décor ambiant

— Ça va vous coûter cher une telle demande et je ne peux pas garantir que vous puissiez emmener votre voiture avec vous malheureusement !

Rya sortit une énorme liasse de billets de son sac et la jeta sur la table.

Les yeux de Poniria, écarquillés, lui donnaient l'expression d'un satyre se pourléchant les babines.

– Voici une première partie pour vos frais, la seconde je vous la donnerai juste avant d'embarquer à bord. Ça vous convient comme ça, Poniria ? Nous pouvons faire affaire ? lui dit-elle en lui tendant la main pour sceller le pacte.

Il réfléchit quelques instants, puis dans un éclat de rire, saisit la main de Rya et la secoua vigoureusement en signe d'approbation.

– Maintenant nous allons boire un petit quelque chose pour célébrer notre affaire, les amis !

Mais avant qu'il ne puisse se saisir de la bouteille qui trônait sur le buffet proche de la fenêtre, nous nous étions levés et préparés à partir. Rya lui dit :

– Nous reviendrons demain matin pour voir comment nous procéderons à notre départ. Ne perdez pas de temps et activez au plus vite vos contacts. Bonne nuit !

Je la suivis, content de quitter cette vieille bicoque et ce personnage qui ne m'inspirait aucune confiance.

En nous éloignant de ce lieu sinistre, je me rendis compte, en repensant à la cigarette de cette femme qui nous avait accueillis, que cela faisait un moment que je n'avais plus fumé une seule clope et que ça ne me manquait même pas. Moi qui fumais d'habitude comme un pompier, c'était avec une grande satisfaction que j'avais semble-t-il arrêté de fumer depuis que j'avais croisé la route de Rya.

Je l'interrogeai tout de même sur la provenance de tout cet argent. Elle me dit simplement qu'elle l'avait depuis notre première rencontre, elle l'avait volé aux Iliakos avant de s'enfuir, et c'était l'une des raisons qui faisaient que nous étions pourchassés. Mais à part ça, elle resta vague sur la manière dont elle avait réussi à fuir et à échapper aux sbires de la Grande Arche avant que nos chemins ne se croisent.

Tout en marchant, nous nous rapprochions d'un genre de bar d'où s'échappaient les accords d'une musique et les voix de personnes laissant distinctement transparaître la bonne humeur.

— Et si nous allions nous changer les idées ? Viens, allons voir ce qui s'y passe.

À l'intérieur, l'ambiance était chaude et humide ; des sourires sur tous les visages (sans aucun doute dus à la surconsommation d'alcool), ainsi qu'une musique entraînante nous invitaient à nous joindre à la fête. Dans chaque coin de la pièce des hommes et des femmes, semblant avoir déjà fait le tour du monde à plusieurs reprises, les peaux marquées par le soleil, le sel de la mer et de longs voyages à naviguer sur tous les océans du globe, buvaient et chantaient tous en cœur. Un peu plus loin au fond de la salle, je remarquai un homme, le regard fixé dans notre direction et faisant de grands signes comme pour nous dire de le rejoindre. C'était le capitaine Martinez, bien évidement toujours accompagné de son fidèle second monsieur Fynigann.

Nous tentions de nous frayer un chemin jusqu'à leur table.

– Voilà donc le retour de la jolie p'tite dame et du monsieur si sérieux ! Installez-vous chers amis, ici c'est l'endroit parfait pour de jeunes marins d'eau douce comme vous en quête d'aventure !

Ce drôle de petit bonhomme, le nez rougi par l'alcool, nous fit nous assoir et commanda à la serveuse, plus grande que moi d'une demi-tête, deux bouteilles de je ne pourrais dire quel breuvage, visiblement puissant mais relativement facile à boire. Je dirais même qu'il glissait si facilement dans la gorge que sans nous en rendre compte le capitaine en commandait déjà deux autres.

— Deux autres boutanches s'il te plaît, ma très chère Marie-May ! Nos amis ont l'air d'avoir plutôt soif et ils ont fait une longue route pour pouvoir v'nir goûter ton légendaire nectar ! dit-il à la gigantesque serveuse qui fit une caresse affectueuse sur la joue du petit capitaine.

Rya leur expliqua que nous avions vu Poniria et quelle impression il nous avait faite, mais le joyeux marin l'interrompit.

— Ma chère et jolie p'tite dame, j'vous prierais de n'plus prononcer l'nom de c't affreux pirate, car c'est soir de fête et nous n'avons aucune envie d'parler de choses qui fâchent. D'accord ?

Après des sourires complices qui ponctuaient bien le débat, nous reprîmes les festivités là où nous les avions laissées, c'est-à-dire à la quatrième bouteille de liqueur de cette très chère Marie-May.

Le grand Fynigann, qui n'avait pas dû prononcer plus de deux ou trois mots depuis notre arrivée, prit enfin la parole en laissant échapper en direction de Rya, et avec un fort accent irlandais, la plus longue phrase que nous ayons entendue de sa part :

– Vous voulez danser avec moi mademoiselle cheveux rouges ?

Elle fut surprise mais accepta l'invitation.

Le grand Irlandais la faisait tourner rapidement au rythme de la musique et les traits ravis du visage de Rya laissaient transparaître une expression de joie.

Je la regardais ainsi virevolter, ici et là aussi douce et gracieuse qu'une nymphe, quand un coup de coude vint me sortir de ma rêverie. C'était le petit capitaine qui essayait de me regarder tant bien que mal malgré son léger strabisme.

– Mon cher ami, sache que d'puis plus de trente ans, j'ai dû naviguer sur à peu près toutes les mers et océans de c'foutu globe. Et j'peux t'dire qu'à chaque embarquement pour rejoindre un port lointain, des larmes de tristesse de femmes pleurant notre départ nous accompagnaient, mais nous donnaient du courage pour traverser toutes les tempêtes. Et celles de joie, lors de nos retours, avec la chance que beaucoup n'ont pas eue d'être toujours rentrés à bon port...

Il eut l'air de s'être perdu dans son monologue, mais se reprit.

– Bref, j'voulais simplement t'dire que de toute ma vie, si une femme m'avait un jour r'gardé comme cette jolie p'tite dame le fait en ce moment avec toi, aucun ouragan ou raz de marée n'm'aurait empêché d'arriver jusqu'à elle.

Et effectivement, je ne l'avais pas remarqué mais Rya ne me quittait pas des yeux. Je fus un peu désemparé, ne sachant trop quoi faire, quand tout à coup une forte poussée dans mon dos me fit me lever.

C'était le capitaine qui m'envoyait dans la direction de Rya. Fynigann s'écarta et je pris dans mes bras la belle aux cheveux de braise pour entamer la première danse d'une longue série qui devait durer jusqu'au milieu de la nuit.

Quand nous sortîmes de la taverne de madame Marie-May, la nuit était déjà bien entamée. Nous marchions accompagnés des deux marins du *Volubilis*, titubant à travers les docks désertés de toute âme.

Ils nous proposèrent de venir dormir sur leur bateau, mais pour une raison que je ne m'explique pas, nous avons décliné leur offre pour nous rendre à bord de la mustang qui nous attendait depuis que nous étions arrivés quelques heures auparavant.

Nous nous étions couchés dans la voiture et, après avoir parlé quelques minutes de cette amusante soirée, Rya mit sa tête sur mon épaule et s'endormit presque instantanément.

Après avoir ressenti un immense plaisir d'être ainsi proche de cette jolie p'tite dame, comme l'avait appelée toute la soirée le capitaine Martinez, je ne tardai pas moi non plus à la rejoindre dans le sommeil.

CHAPITRE 9

BEAUCOUP TROP ROUGE

Au petit matin, nous fûmes réveillés par une corne de brume qui hurla pour annoncer le départ d'un de ces géants des mers.

Nous finîmes la nourriture qui nous restait de la veille en guise de petit déjeuner avant de nous rendre chez Poniria, bien que la simple idée de retourner dans ce bourbier m'écœurait au plus haut point, et je dus arrêter d'y penser pour ne pas me sentir mal en avalant une tranche de brioche un peu sèche.

Nous nous rendions d'un pas lourd, comme si des boulets freinaient notre avancée, vers la sale cabane de pêcheur délabrée, mais avant de nous diriger vers la porte, je remarquai un véhicule qui ne m'inspirait pas confiance garé devant la bicoque, ce qui éveilla en moi un mauvais pressentiment.

– Attends Rya ! Viens avec moi, faisons le tour de la baraque !

Elle me suivit, et lorsque nous atteignîmes la fenêtre je glissai un œil curieux à l'intérieur pour voir ce qui pouvait bien autant aiguiser ma méfiance. Il y avait peu de lumière mais malgré cela je distinguais facilement l'ombre de Poniria, toujours affublé de sa fidèle et visiblement unique chemise, qui discutait avec deux énergumènes dont je n'arrivais pas à voir les visages.

Je fis signe à Rya de regarder à son tour, et il ne fallut pas longtemps pour qu'elle reconnaisse à qui appartenaient ces silhouettes.

Elle me fit signe de ne pas faire de bruit et nous tendîmes l'oreille pour essayer d'entendre ce qui se tramait à l'intérieur.

– Vous comprenez messieurs, au moment même où j'ai vu débarquer cette fille aux cheveux rouges avec tout cet argent, mon instinct affuté a tout de suite su qu'il s'agissait de la femme que vous recherchiez, et voilà pourquoi je me suis permis de vous faire déplacer jusqu'à mon humble demeure à une heure aussi matinale.

Rya eut un regard de haine reflétant parfaitement ce que je ressentais à ce moment très précis.

– Vous avez bien fait Porpigna !

– Non ! Pardon, c'est Poniria !

– Peu importe ! À présent, écoutez bien ce que je vais vous dire : il faut absolument que vous les fassiez monter à bord du ferry dénommé le *Foreas*.

Ce vieux phacochère de Poniria eut l'air surpris.

– Mais je pensais que…

– SILENCE POPOYA !

– Poniria, corrigea-t-il.

– Il faut qu'ils puissent se rendre à Malte où une équipe de nos services leur préparera une petite surprise à leur arrivée. Vous avez compris ?

Je glissai sur une vieille caisse en bois qui fit un bruit puissant et, avant que les hommes à l'intérieur ne puissent nous voir, nous avions plongé sous un tas de filets de pêche qui se trouvait à proximité.

Nous restions là, sans faire un bruit, observant tous les mouvements hors de notre cachette.

C'est à ce moment-là que surgirent les deux hommes de notre côté de la cabane pour y voir ce qui avait bien pu faire un tel tintamarre. Nous faisions de notre mieux pour rester immobiles malgré la tension et l'angoisse d'être découverts et totalement vulnérables. Heureusement, n'ayant rien remarqué de suspect, les sbires s'éloignèrent. Je dis à Rya :

— Reste ici bien à l'abri, je crois que j'ai un plan, je reviens le plus vite possible.

Je la laissai là seule, livrée à elle-même. Au bout d'une vingtaine de minutes, je la rejoignais à nouveau.

— Où étais-tu parti ? m'interrogea-t-elle.

— Pour le moment, c'est pas ça le plus important ! Les deux sbires sont partis. Il faut maintenant que tu me fasses confiance, tu peux faire ça ?

Elle eut un temps d'hésitation, car ça avait l'air dur pour elle de se retrouver dans la situation inverse de la mienne et de devoir faire confiance les yeux fermés sans savoir à quoi s'attendre. Elle eut pourtant une expression sur la figure qui me fit comprendre qu'elle acceptait.

— Il faut que nous allions voir Poniria, viens !

— Comment ça, ce brigand de grand chemin ? Impossible ! Ez, c'étaient des Tsirakis qui discutaient avec lui, on ne peut plus lui faire confiance !

— C'est en moi que tu dois avoir confiance. Fais comme si de rien n'était, je t'en supplie.

Cela paraissait extrêmement difficile pour elle de se fier à quelqu'un d'autre qu'à elle-même, mais elle consentit à faire cet effort.

Nous frappâmes à la porte branlante de ce maudit cabanon. Cette fois ce fut Poniria lui-même qui nous accueillit, toujours avec son mauvais jeu d'acteur minable.

– Bienvenus à vous mes chers amis, vous avez bien dormi ?

On rentra dans cet amas de planches, à peine tenues

entre elles par des milliers de clous rouillés par l'air de la mer, et qui n'attendaient que le prochain coup de vent pour s'effondrer.

– Vous avez beaucoup de chance mes tourtereaux, j'ai réussi à vous trouver des places VIP pour embarquer dans le *Foreas*, et en plus vous pourrez emmener avec vous votre véhicule, c'est pas beau ça ? lança-t-il en direction de Rya.

Je pris la parole :

– Nous ne prendrons plus la voiture pour finir, j'ai dû m'en séparer pour pouvoir vous payer le reste de la somme que nous avions convenue.

Rya me jeta un regard interrogateur mais se ravisa et reprit un visage plus neutre.

– Dans ce cas-là, cela vous coûtera beaucoup moins cher. Et vous savez quoi ? Le plus beau c'est que le *Foreas* appareille dans moins d'une heure, alors dépêchez-vous de préparer vos affaires et on se voit au quai D12 dans vingt minutes pour que vous puissiez me donner mon petit cadeau de départ, nous dit-il avec un grand sourire qui n'inspirait pas confiance du tout.

Nous sortions de ce gourbi avec la sensation d'être aussi sales que son propriétaire. Rya m'interrogea sur la vente de la voiture mais je lui demandai de se presser pour rejoindre rapidement le quai D12, afin de pouvoir nous préparer à embarquer.

À part le sac que Rya transportait avec elle depuis le début de notre expédition, nous ne possédions rien d'autre.

C'est ce qui s'appelle voyager léger.

Malgré les interrogations de Rya, je continuais d'avancer sans dire un mot, de peur que nous ne soyons observés.

Nous sommes rapidement arrivés au quai. Poniria, qui avait essayé de se faire une beauté en enfilant une veste de smoking rapiécée aux coudes et une cravate fantaisie dont la couleur laissait à désirer, nous attendait accompagné de sa femme, toujours aussi maquillée et avec un air encore plus mélancolique que la première fois que nous l'avions rencontrée. Il prit la parole et se lança dans un monologue, avec un sourire laissant remarquer ses dents jaunes mal alignées :

— Mes chers amis, nous voilà sur le point de nous quitter après avoir vécu tant de merveilleux moments. C'est rare que je me lie d'amitié aussi rapidement avec des étrangers, mais vous m'inspirez tellement de sympathie qu'il nous était impossible à moi et à ma femme de vous laisser partir sans prendre la peine de venir vous dire adieu.

Il en faisait des caisses, tellement trop qu'on se serait cru dans un sketch mal joué et pas du tout drôle.

Rya lui tendit avec difficulté la somme qui restait à payer, mais je la saisis au passage !

— Nous pouvons déduire la partie pour la voiture, n'est-ce pas ?

Le visage de Poniria se ratatina comme un petit farfadet à qui on aurait volé une pièce en or.

— Bien entendu ! ajouta-t-il, les lèvres tordues par le supplice.

Nous embarquions à présent à bord du *Foreas*.

Ce vieux filou de Poniria nous faisait de grands signes d'adieu, sa femme à ses côtés faisant de même d'un air exaspéré, une cigarette pendant à ses lèvres beaucoup trop rouges.

Nous prîmes place à bord et restions là, sur le pont, afin de voir s'éloigner le port et la ville de Gênes devant nos yeux plissés par le vent du grand large.

Au bout d'un moment, Rya, qui ne m'avait plus adressé la parole depuis maintenant pas loin d'une demi-heure, me lança.

– Très bien ! Alors qu'est-ce qu'on fait à présent ? Maintenant que nous avons payé pour nous faire embarquer sur un navire qui nous amène droit à notre perte !

Je ne lui répondis pas tout de suite et la priai de me suivre dans les étages inférieurs du navire. Nous nous trouvions à quelques mètres de la surface des vagues. Elle me regardait avec insistance, attendant de moi une réponse qui ne tarda pas à arriver.

– Tu n'as pas peur de te mouiller ? Une fois à l'eau, il faudra nager pour nous éloigner le plus possible du bateau et ainsi éviter les remous et surtout les turbines.

Elle eut l'air complètement perdue, ne comprenant absolument pas de quoi je voulais parler. Mais avant qu'elle n'ait pu ajouter un mot, je la saisis par les hanches et la fis basculer par-dessus la balustrade, avant de la suivre et de sauter à mon tour dans cette eau bouillonnante.

Il fallut nager de toutes nos forces pour nous sortir du sillage de ce grand ferry, qui à chaque brasse semblait sans effort nous ramener à lui. Nous dûmes faire preuve de courage pour réussir à nous extirper de ces remous qui paraissaient si petits vus du bateau, mais qui en vérité étaient si massifs maintenant que nous y étions plongés. Nos efforts furent payants et nous réussîmes enfin à nous sortir de cette eau en ébullition.

Mais il nous fallait affronter encore un autre souci. Désormais, nous étions seuls au milieu de la mer.

– C'est ça ton plan ? Nous noyer en pleine mer ? Tu es fou ?

Mon silence sembla l'énerver encore plus car au lieu de lui répondre je scrutais les alentours en donnant l'impression de chercher une solution à notre problème. Les minutes passaient et me laissaient présager du pire.

– J'espère que tu as prévu quelque chose pour nous sortir de là ?

– J'aurais peut-être pas dû leur faire confiance…

– Quoi ? Confiance à qui ? Je t'ai dit qu'on ne pouvait que compter sur nous-même !

Je nous avais mis dans une vraie galère.

Comme d'habitude, pauvre idiot, tu te rends compte que là on est pas en train de jouer ? Comment t'as pu avoir une idée aussi impulsive et stupide pour nous fourrer dans une merde pareille ?

Mais visiblement, un sourire de soulagement dut apparaître sur mon visage, car Rya sembla encore plus en colère.

– J'suis vraiment contente que cette situation te fasse rire, Ez ! Mais aurais-tu l'amabilité de me dire qu'est-ce qui te donne ce putain d'air si heureux ?

Je pointai mon doigt dans une direction bien précise, qu'elle suivit du regard.

Là, fendant les flots, nous apercevions, arrivant vers nous à toute allure, un bateau qui n'était autre que le *Volubilis*.

Fynigann jeta de toutes ses forces la bouée, qui atterrit à quelques mètres de nous, puis il nous tira dans la direction du navire et pour finir attrapa Rya par les mains pour la hisser à bord. Il fit de même pour moi.

– J'ai bien cru que vous nous aviez oublié Fynigann, on est vraiment contents de vous voir !

Le petit capitaine Martinez nous avait rejoints alors que nous nous séchions, emmitouflés dans de grandes serviettes-éponges.

– Bah dis donc, vous avez eu un sacré cran pour vous balancer à la baille d'puis un pareil rafiot. J'sais pas si j'aurais osé !

– Vous en avez mis du temps Martinez pour arriver, j'ai bien cru pendant un moment que...

Il me tendit un trousseau de clés avec un petit sourire complice.

– Il nous a fallu plus de temps qu'prévu pour réussir à faire monter votre p'tit bijou à bord.

Rya regarda vers l'arrière du pont et vit la Mustang de Archi trônant parmi les quelques caisses et marchandises entassées à la va-vite.

– Bon alors, on met le cap sur Malte, capitaine ? demanda Fynigann.

Et Martinez de lui répondre :

– Non m'sieur Fynigann, nous mettons le cap vers la Crête !

Rya me regarda avec des yeux surpris mais reflétant une entière satisfaction, ainsi qu'un immense espoir, ce qui la rendait plus belle encore.

CHAPITRE 10

JE VEILLE SUR VOUS

Nous avions donc réussi à prendre la mer et nous faisions désormais cap vers notre prochaine destination sans avoir à passer par la case Malte, prenant de l'avance sur nos poursuivants et ainsi brouillant les pistes de la Grande Arche.

Autour de nous, que du bleu à perte de vue et un vent frais frappant nos visages.

Un peu plus de deux jours de mer nous seraient nécessaires pour rejoindre le vieux port vénitien de Chania. Après nous être changés grâce aux quelques vêtements qui se trouvaient à bord, nous nous sentions plus à notre aise. Rya portait une marinière à rayures bleues et blanches qui collait parfaitement au cadre maritime. J'avais quant à moi trouvé quelques vieux habits du genre treillis militaire qui étaient un peu écorchés sur les bords mais qui faisaient parfaitement l'affaire. Ils étaient surtout très confortables et tenaient bien chaud.

L'après-midi avait filé à toute vitesse et l'astre solaire se couchait sur une mer calme.

C'était magnifique et plein de poésie. Je ne pouvais pas imaginer que, seulement quelques jours auparavant, je me trouvais dans les rues de ma ville à nettoyer des trottoirs jonchés de détritus, et qu'aujourd'hui j'étais lancé dans une aventure à l'opposé de tout ce que j'aurais pu vivre si je ne m'étais pas trouvé, une fois de plus, arrêté à ce maudit feu rouge, qui pour finir avait réussi à changer ma vie du tout au tout. Cela paraissait impossible, et pourtant nous étions bien là !

Je naviguais au coucher du soleil sur la mer Méditerranée, accompagné de deux matelots expérimentés, mais surtout, disons-le, j'étais devenu le compagnon de route de la femme qui, à mes yeux, était la plus fascinante personne que j'aie rencontrée de toute ma vie.

La nuit était tombée lentement sur les eaux qui étaient passées du bleu turquoise au noir sombre de l'ébène. Notre ami Fynigann, en plus d'être le second sur le *Volubilis*, était aussi le maître coq. Il nous concocta des mets de la mer comme je n'en avais jamais mangé jusqu'à présent. J'imagine que ça devait être ça, de la nourriture saine et équilibrée, en tout cas c'est comme cela que je me l'imaginais.

Toute cette bonne victuaille était bien évidemment accompagnée du merveilleux breuvage de madame Marie-May elle-même, que le capitaine Martinez avait pris la peine d'embarquer à bord sous la forme de plusieurs caisses qui leur auraient permis de tenir en mer au moins six mois avant de devoir se ravitailler.

Rassasié et prêt à aller profiter d'une bonne nuit de sommeil bien méritée, mes membres endoloris par les efforts fournis dans la journée, je me rendis avant cela sur le pont arrière du bateau me coucher sur le capot de la Shelby pour contempler le ciel étoilé. Je n'avais jamais vu autant de beauté que celle que m'offrait le spectacle qui s'étendait devant mes yeux. Un bout de la voie lactée apparaissait vers l'ouest. En regardant ces myriades de points lumineux hypnotisant de splendeur, on aurait cru pouvoir y plonger indéfiniment, sans jamais vraiment en revenir.

– Je peux me joindre à toi ?

Rya était elle aussi sortie de la cabine pour profiter de l'air de la nuit et avait brisé le silence de ma communion avec les éléments, mais je n'en fus que plus heureux. Je lui fis donc une petite place à mes côtés.

Elle avait pris avec elle une couverture, car il est vrai que l'air s'était rafraichi.

Il y avait désormais tous les ingrédients pour rendre ce moment parfait. Une petite brise créée par l'avancée du bateau sifflant à nos oreilles, le roulis des vagues qui lentement nous berçait, ce ciel agrémenté de milliards d'étoiles ainsi que la lune quasi pleine semblant ne briller que pour nous.

Et, trônant au centre de ce panorama de splendeurs nocturne, Rya et moi.

– Tu sais, j'ai toujours observé la lune depuis l'endroit où je vivais avant que tout cela ne commence, et me voilà à nouveau face à elle. Je suis heureuse de pouvoir retrouver ces instants de calme et de plénitude avec toi, Ez ! J'espère un jour pouvoir retourner là où je suis née.

Je l'écoutais parler avec sa voix si douce, et j'espérais que jamais elle ne s'arrêterait.

– C'est loin d'ici l'endroit d'où tu viens ?

Elle avait une expression nostalgique sur le visage qui me fit me dire que j'avais peut-être été trop curieux.

— Nous nous en approchons justement. C'est étrange ! J'ai comme la sensation d'être attirée à deux endroits simultanément, sans réellement réussir à savoir où me diriger. Mais nous approchons du but, c'est pour cela que je suis si heureuse !

— Je suis aussi heureux d'être ici avec toi, Rya ! Et même si je ne sais pratiquement rien de toi ni de ce que nous sommes en train d'accomplir, tout ça m'importe peu, tant que je suis près de toi.

Elle arrêta de regarder la lune, posa son regard sur moi et me sourit, les yeux brillants semblables à des pierres précieuses étincelantes. Puis, sans dire une seule parole, elle s'approcha encore plus de moi et posa ses lèvres sur les miennes.

Je me sentis comme aspiré au centre d'un cyclone où toutes les étoiles, les vagues, l'air et le temps étaient comme suspendus.

Aussi léger que les quelques nuages qui venaient adoucir encore plus le cadre idyllique de ce songe d'une nuit d'été. Nous nous enlacions passionnément avec la fougue et la douceur d'un couple amoureux.

Ce soir, pour la première fois, là sous les étoiles, nous nous sommes aimés avec tellement de passion et de tendresse que cet instant sera pour toujours et à jamais gravé dans ma mémoire.

Je goûtais enfin au plaisir de me sentir vivant et, en droit de savourer une émotion si intense et pénétrante, j'avais le sentiment de pouvoir dire que ma vie prenait finalement tout son sens. Cette nuit sur une mer qui arborait ses plus beaux atours me sembla durer une éternité.

Nous trouvâmes enfin le sommeil sans vraiment nous en apercevoir, nos corps lourds mais détendus, l'astre de la nuit nous toisant de son regard bienveillant et donnant l'impression de nous dire : « Dormez mes enfants, désormais rien de mauvais ne peut plus vous atteindre ! Je veille sur vous ! Moi et mes sœurs, les étoiles, sommes les témoins de votre amour gravé à jamais sur la pierre du destin. »

Juste un instant à vivre au jour le jour. Après hier, avant demain… Jusqu'à maintenant…

Je me réveillai ce matin-là avec un sentiment nouveau. Rya était enlacée dans mes bras, encore endormie.

Nous nous étions réfugiés dans la Mustang durant la nuit qui avait été, me semble-t-il, trop courte pour pouvoir nous donner le millième de ce que nous ressentions l'un pour l'autre ; et pourtant, je n'aurais rien fait de différent si on m'en avait donné l'occasion.

Tout avait été parfait. Je caressais sa chevelure vermeille ; après un instant elle ouvrit les yeux avec l'expression et le regard d'une femme amoureuse. Elle était…

Je ne trouve pas les mots pour pouvoir décrire cela à quiconque n'aurait jamais goûté au goût de ses lèvres ou eu l'occasion de pouvoir aimer quelqu'un et d'en être aimé en retour.

Une odeur de nourriture vint soudainement nous chatouiller les narines : c'était ce très cher Fynigann qui nous préparait un copieux petit déjeuner que le capitaine Martinez avait déjà entamé.

Il nous fit un accueil digne de ce personnage attachant qui, malgré sa petite taille, dégageait quelque chose de très charismatique.

– Bien dormi mes tourtereaux ? nous lança-t-il en ajoutant quelques haussements de sourcils.

Nous dégustions ces plats succulents en riant au stock de blagues du capitaine qui semblait ne jamais se tarir.

Puis, en prenant un air pensif et plus sérieux, il nous dit :

– M'sieur Fynigann et moi-même nous demandions, nous qui sommes très superstitieux, si naviguer un vendredi treize était une bonne chose ! Nous nous le sommes toujours refusé jusque-là car le peu de fois où nous avions été coincés en mer ce jour-là, il nous était toujours arrivé des bricoles. Et justement aujourd'hui c'est le treize ! Et devinez quoi ? C'est aussi vendredi !

Nous nous regardâmes, Rya et moi. Nous semblions nous demander si c'était encore une blague ou s'il était vraiment sérieux. Mais malheureusement nous fûmes fixés au moment où il nous dit :

– Je crois que nous allons gentiment nous rapprocher des côtes italiennes et attendre à quai demain matin pour reprendre notre voyage.

Rya le supplia de renoncer à s'arrêter et de continuer pour pouvoir arriver le plus vite possible à notre destination, mais le capitaine était bien décidé à se rapprocher de la terre.

Nous voguions depuis plus d'une heure quand nous commençâmes à apercevoir les reliefs de la terre. Rya semblait ne pas aimer du tout cette idée de devoir interrompre la traversée de cette manière-là. Elle s'était isolée dans la cabine et moi je regardais la côte se rapprocher, quand soudain, sous l'eau, à flanc de coque du *Volubilis*, apparut une silhouette gigantesque qui paraissait glisser sans effort.

Je fis de grands signes jusqu'à ce que le capitaine, Fynigann et Rya me rejoignent enfin pour voir cette créature sortie des fonds des mers, nous accompagnant silencieusement, surgir hors de l'eau et se dévoiler à nous.

– C'est un rorqual ! Il est magnifique ! Et r'gardez là-bas, il est accompagné d'son p'tit !

En effet, non loin de ce cétacé, nageait une petite ombre qui semblait bien être un petit baleineau comme nous l'avait fait remarquer le capitaine.

Cette vision complètement folle ne sembla pas fasciner que moi et Rya. Le capitaine Martinez et son second ne dirent plus un mot et contemplèrent ces animaux majestueux fendant les flots avec une grâce et une légèreté difficilement descriptibles pour d'aussi imposantes créatures. Elles nous suivaient encore quelques instants, juste le temps de nous laisser un souvenir, qui durerait sans doute jusqu'au jour où nous devrions quitter ce monde ; puis, en ne laissant plus qu'apparaître leurs queues, comme un dernier signe d'adieu, elles disparurent en s'enfonçant dans les profondeurs abyssales.

Le capitaine se tourna vers nous :

– C'est un très bon présage ! Très rares sont ceux qui ont aperçu un géant des mers et encore plus avec son p'tit. Je crois bien que je n'en avais jamais vu de ce côté du globe et surtout si proche d'un navire.

J'eus une étrange sensation. Jamais en toute une vie je n'avais pu observer autant d'animaux aussi majestueux que ceux que j'avais vus en quelques jours seulement depuis que j'avais rencontré Rya.

Je commençais à me demander si tout cela n'était vraiment que de parfaites coïncidences.

Le capitaine poursuivit :

– Au vu d'cette fantastique rencontre, nous allons r'prendre notre route en direction d'la Crète, mes chers amis. J'pense qu'il s'agit là d'un signe et qu'ça nous portera bonheur pour la suite de notre périple. Allez ! Chacun à son poste, camarades, nous r'prenons la direction du large en priant pour que Poséidon soit d'humeur clémente.

CHAPITRE 11

LES BRAS DE POSÉIDON

La journée s'était déroulée à merveille. Il me semblait à ce moment précis de notre aventure que rien de grave ne pouvait plus nous arriver. J'étais, on peut le dire, sur un petit nuage, et je nous imaginais comme une joyeuse troupe d'amis qui partaient pour une jolie croisière. Puis la nuit arriva bientôt, et avec elle de grands nuages menaçants qui semblaient grandement perturber le capitaine du navire.

– Va falloir s'préparer les amis, ça risque de s'couer un peu cette nuit ! nous dit-il d'un ton grave qui laissait transparaître une certaine inquiétude.

Nous nous préparions donc à subir la colère des flots. Bien que la vision de ces deux magnifiques créatures des mers nous ait auparavant rassurés sur le bon déroulement de la suite de notre voyage, il nous fallait désormais craindre le pire.

Nous avions fini d'attacher solidement les quelques caisses de matériel qui auraient pu tomber à l'eau. Le roulis des vagues commençait à se faire ressentir de plus en plus et nous nous apercevions déjà que tout n'était pas aussi bien attaché que ça.

La lune si apaisante et douce de la nuit précédente avait disparu et laissé place à un ciel sombre et inquiétant uniquement révélé par les flashs soudains d'éclairs violents. Je n'avais jamais été trop friand d'orages depuis ma plus tendre enfance et je le fis savoir à Rya.

– J'me souviens que quand j'étais petit, un éclair avait frappé de plein fouet un arbre qui avait explosé et pris feu instantanément ! Ça avait produit un bruit étourdissant qui aujourd'hui encore résonne dans ma mémoire, lui dis-je avec un sourire forcé.

Rya eut le visage pétrifié par la peur à cause de ce que je venais de dire ! Elle se serra fortement contre moi comme si elle voulait s'enraciner à quelque chose de solide. Je fus flatté dans un premier temps, mais voyant qu'elle ne me lâchait plus, je commençais à comprendre à quel point elle avait une peur maladive du tonnerre.

Je réussis tout de même à lui faire entendre raison et à la persuader de me laisser aider monsieur Fynigann à rassembler les quelques objets qui tanguaient d'un côté à l'autre de l'embarcation.

Elle alla se réfugier dans la cabine en compagnie du capitaine Martinez qui luttait avec les éléments pour éviter que le *Volubilis* ne soit trop maltraité par les flots. Je luttais moi aussi à chaque pas pour ne pas tomber à la renverse, car les mouvements du bateau désormais étaient devenus complètement aléatoires, et par conséquent, je n'arrivais plus à anticiper quel serait le prochain côté où ils allaient me faire basculer.

La pluie et le vent étaient devenus plus forts encore. Ils nous fouettaient le visage et nous obligeaient à quasiment fermer les yeux, nous gênant dans nos tâches qui consistaient, pour moi, à tenir une caisse pendant que Fynigann la harnachait solidement à de grosses anses qui tapissaient un peu tout le tour du pont.

La GT500 ondulait d'un côté puis de l'autre mais, fort heureusement, elle se trouvait comme calée entre des caisses de marchandise qui, elles, étaient bien attachées. Il y avait aussi des filets de pêche qui l'empêchaient de battre trop fort, évitant ainsi la casse. J'arrivais difficilement à voir dans la cabine si Rya allait bien. Je n'entrevoyais que des silhouettes de temps à autre grâce à la lampe allumée au plafond de la cabine qui faisait des va-et-vient au bon vouloir des vagues, qui la faisaient balloter frénétiquement de gauche à droite. Nous étions sur le point de terminer notre besogne quand, sans crier gare, une vague phénoménale vint s'abattre sur le pont. Je me trouvai immédiatement frappé puis submergé par l'onde qui faillit m'emporter. Je fus chanceux car j'étais accroché à une grosse caisse que Fynigann venait tout juste d'encorder solidement. Je résistais avec toute la force du désespoir, et quand l'énorme volume d'eau soulevé par la vague retourna d'où il était venu, je relâchai la tension de mes muscles engourdis par l'effort et le froid. Les quelques caisses que nous n'avions pas eu le temps de fixer au pont avaient disparu sans même laisser la trace d'avoir été là un instant auparavant. Mais ce détail ne me chagrina pas longtemps car en regardant autour de moi, une montée de stress encore plus forte que celle que j'avais ressentie quelques secondes plus tôt m'envahit.

Fynigann avait littéralement disparu.

Je l'appelais aussi fort que possible.

– FYNIGANN ! FYYYNIIIGAAAAANN !

Mais mes cris restaient impuissants face à tout le défoulement sonore qui se déchainait tout autour du bateau.

Je me sentis tout à coup comme seul en pleine mer.

À la merci d'une nature sauvage et sans scrupules, même si le capitaine et Rya ne se trouvaient qu'à une dizaine de mètres, séparés de moi par une simple paroi de cabine en bois. Puis, je remarquai, non loin de l'endroit où j'avais vu pour la dernière fois le courageux marin, une corde tendue en direction de la rambarde de tribord qui me fit penser que peut-être, par miracle, Fynigann avait réussi à s'y accrocher.

Je me frayai un chemin tant bien que mal vers le bord du navire en direction de la corde et, quand j'y arrivai enfin, tout en me penchant prudemment pour ne pas basculer dans ces eaux tourmentées, je vis ce pauvre Fynigann agrippé de toutes ses forces à ce bout de cordage.

– Accroche-toi, je vais t'remonter !

Je tirais sur ce cordon qui le maintenait entre la vie et la mort, en allant puiser au plus profond de moi le peu de forces qu'il me restait afin de réussir à hisser à bord ce grand matelot qui devait peser au moins deux fois mon poids.

Encore, mon grand, tu peux le faire ! Tu es plus fort que ce que tu peux penser !

Mes mains commençaient à me lâcher, mais dans un ultime effort et avec une rage puisée au plus profond de mon être, je réussis à lui agripper la main.

Lui, tétanisé par le froid et la peur, et moi, épuisé par toute cette énergie dépensée à tenter de le faire remonter, nous échangeâmes un ultime regard qui me hanterait assurément jusqu'à la fin de ma vie. Nos mains trempées se séparèrent et je le vis disparaître, drapé par les vagues. Mes larmes en signe d'adieu, invisibles, noyées par ce déluge au moment où les bras de Poséidon l'enlaçaient pour l'accueillir dans sa dernière demeure. Je l'avais lâché et il s'était fait avaler par une mer affamée, jamais assez rassasiée d'âmes de valeureux marins ayant eu l'audace de venir affronter un monstre aussi impitoyable que celui qui se trouvait face à moi.

Je tentai de rejoindre la cabine, le cœur palpitant si fort dans ma poitrine que cela me faisait presque mal. Balloté de toute part, je dus m'y reprendre à plusieurs fois pour ne pas tomber sur le pont inondé et glissant. Je fus à nouveau frappé par une lame qui vint se fracasser sur moi pour finalement basculer au sol et glisser vers le bord du navire. J'arrivai par miracle à agripper un bout de filet de pêche qui se trouvait près de la Mustang et, en me hissant difficilement, je pus m'abriter à bord de la voiture ébranlée par la férocité des vagues.

J'étais presque ivre, secoué par les mouvements de ces eaux folles qui ne cessaient de tanguer, et pendant un instant je crus même m'être endormi, ou peut-être évanoui, tombé là, inconscient.

J'avais dû perdre connaissance. Ayant repris mes esprits, je décidai de tenter ma chance pour rejoindre la cabine où Rya devait sans doute attendre mon retour. La peur au ventre, je pris mon courage à deux mains et ouvris la porte de la Shelby pour m'en extirper puis plonger dans la tempête qui faisait rage à l'extérieur. J'essayais de courir le plus vite possible pour ne pas laisser le temps à cette mer déchainée de me prendre, comme elle avait pris monsieur Fynigann un peu plus tôt. Arrivé à peine à quelques centimètres de la porte en acajou vernis de la cabine, un choc violent se fit ressentir. Une vague immense venait de heurter la coque du navire et me fit décoller à au moins deux, voire trois mètres du sol, pour venir atterrir un peu plus loin, fort heureusement toujours sur le bateau. Avec je ne sais quelle énergie, je réussis, moyennant un gros effort, à me faufiler en m'agrippant à tout ce qui pouvait me servir de point d'ancrage pour arriver à la cabine, en saisir la poignée et finalement y entrer, mouillé de la tête aux pieds, claquant la porte derrière moi.

Soulagée de me voir, Rya se précipita dans ma direction et me serra si fort que je crus mourir étouffé. Mais il n'en fut rien et la puissance de cette étreinte, celle d'une femme infiniment heureuse de revoir son homme comme revenant de la guerre, me réchauffa le cœur et me fit presque oublier l'horreur à laquelle je venais d'échapper.

– Te voilà enfin mon p'tit gars ! La p'tite commençait à s'inquiéter. Mais j'lui avais bien dit qu'on r'verrait ta jolie frimousse. Et voyons l'bon côté des choses, ça t'a permis d'prendre une bonne douche.

Il riait si fort que ça en devenait presque malsain, mais je pense que c'était surtout pour ne pas trop penser aux dangers qui nous entouraient de tous les côtés et qui ne cessaient de nous faire tanguer de part et d'autre sans jamais vraiment permettre au capitaine de reprendre entièrement le contrôle du *Volubilis*.

– Où est mon valeureux second ? J'ai b'soin qu'il vienne me relayer un moment aux commandes.

Je ne savais pas comment annoncer la terrible nouvelle au capitaine qui me regardait avec ses petits yeux plissés et un large sourire édenté. Je finis par ouvrir la bouche mais aucun mot ne put en sortir.

– Alors, t'as perdu ta langue dans la tempête, mon gars ?

Le rictus qu'il arborait s'effaça très lentement et il reprit :

– Allons fiston, réponds !

– Il ne reviendra pas ! Il est passé par-dessus bord, emporté par la plus grande vague que j'avais encore jamais vue. J'ai essayé de le sauver mais malheureusement je n'ai rien pu faire, monsieur Fynigann nous a quittés !

Le petit capitaine eut un air désemparé et lâcha les commandes du bateau pour se diriger vers la porte, sans doute pour aller chercher son fidèle compagnon de voyage, mais je lui barrais la route.

– Mon p'tit gars je te conseille de virer ton cul de d'vant cette porte et d'me laisser passer !

Il me fusillait du regard avec un visage menaçant.

– Dégage d'ici ! J'vais aller chercher mon second immédiatement pour qu'il vienne me relayer et c'est pas un olibrius comme toi qui va m'empêcher de sortir.

Je restais là sans bouger, le regardant avec compatissance, lui faisant bien comprendre que c'était trop tard et qu'il n'y avait plus rien à faire pour ce malheureux Fynigann.

Il eut l'air de comprendre, puis il retourna prendre les commandes que Rya avait essayé de maintenir tant bien que mal pendant sa courte absence.

Elle prit le capitaine Martinez dans ses bras, l'embrassa sur la joue où une grosse larme avait coulé tout du long pour venir disparaître dans sa barbe.

Nous fûmes encore ballotés par la mer et les éléments pendant environ une heure avant que la tempête ne commence finalement à se calmer.

– C'est terminé maint'nant ! L'un de vous deux pourrait s'il vous plait prendre les commandes et suivre le cap sud-est ? J'vais aller me r'poser.

Nous vîmes le capitaine quitter la cabine sans dire un mot. Il affichait la dégaine d'un homme épuisé par les efforts fournis, nous ayant ainsi permis de sortir de cette terrifiante tempête; mais surtout, il était abattu par la perte soudaine de son ami fidèle.

Il se dirigea vers une caisse de ce tord-boyaux de la mère Marie-May pour boire à la santé de son très cher compagnon disparu lors de ce foudroyant typhon, en ce si redouté et maudit vendredi treize.

CHAPITRE 12

DEUX YEUX

Nous naviguions depuis maintenant presque trois jours et le capitaine n'arrêtait pas de boire et de dormir. Il se contentait de nous indiquer, de temps à autre et avec plus ou moins de difficulté à articuler, la direction à suivre. Mais il faut bien dire que même en l'absence du petit capitaine nous nous en sortions plutôt bien pour tenir le cap et faire en sorte que le navire ait l'air plus ou moins entretenu.

Je m'improvisais cuisinier pour que nous ne mourions pas de faim, mais j'avoue que je n'arrivais pas à la cheville du regretté monsieur Fynigann, feu second en chef et maître coq à bord du *Volubilis*.

Les journées semblaient ne jamais finir, et sans la présence de Rya, elles m'auraient paru encore plus lourdes et angoissantes. J'essayais, de temps à autre, d'engager la discussion avec le capitaine qui était constamment ivre. Mais à part quelques mots minimalistes, rien ne semblait vouloir sortir de sa bouche.

J'étais en train de tenir la barre. En fait, je ne sais pas vraiment si on l'appelle comme ça, mais dans le peu de films que j'avais pu voir qui se passaient en mer, c'était le nom qu'on lui donnait.

Bref, c'est en tenant la barre que je vis Rya s'approcher du capitaine et engager la discussion, apparemment avec plus de succès que moi. Celle-ci dura environ une demi-heure, quand tout à coup le capitaine se leva et se dirigea vers moi.

– Allez p'tit gars, laisse-moi prendre les commandes et direction Chania ! Apporte-moi un peu d'saucisson, un bout d'pain pas trop rassis et plus vite que ça ! Sinon j'vais tomber dans les pommes avec toute la boisson d'madame Marie-May qu'j'ai ingurgitée et on s'ra pas prêts d'arriver à bon port.

Un peu surpris, je m'exécutai sur le champ.

Malgré sa petite corpulence, le capitaine arrivait facilement à convaincre les gens de lui obéir. Il lui suffisait pour cela d'adopter son regard difficilement descriptible, pas trop dur mais assez pour vous faire comprendre qu'il ne rigolait pas.

Lui ayant apporté ce qu'il demandait, je rejoignis Rya qui s'activait à ranger le pont, malgré un soleil haut dans le ciel qui nous cognait sur la tête et les épaules.

Après lui avoir volé un baiser, je lui demandai :

– Tu lui a dit quoi pour le rebooster comme ça ?

Elle me répondit sans me regarder dans les yeux, tout en continuant son labeur.

– Parfois on a rien besoin de dire ! Il suffit simplement de savoir écouter. Et tu es le mieux placé pour savoir que je peux être très persuasive quand je veux vraiment quelque chose.

Elle se tourna vers moi avec un petit sourire malicieux. Effectivement, qui mieux que moi pouvait se rendre compte à quel point cette femme était capable de faire faire ce qu'elle voulait à quasiment n'importe qui. Elle avait quand même réussi à entrer dans ma vie, bouleverser mon existence toute entière et cela en même pas une semaine.

Donc oui, elle savait être très persuasive, et dans le cas présent, j'avais presque envie de dire manipulatrice.

Je lui répondis également par un sourire, dira-t-on, sûrement un peu niais.

Alors que la journée était déjà bien avancée, nous commençâmes à apercevoir les rivages de Chania.

Je voyais dans les pupilles de Rya, qui observait le port vénitien de la ville et son phare approcher, comme des étincelles brillantes qui venaient sublimer encore plus son regard. Le capitaine Martinez fit lentement entrer le *Volubilis* dans le port et s'amarra à quai avec l'aisance de ses décennies d'expérience, nous donnant ainsi par la même occasion une leçon sur son incroyable habileté à naviguer. Nous étions enfin arrivés.

Je n'en croyais pas mes yeux mais j'étais en Grèce, plus particulièrement en Crète dans la ville de Chania, aussi appelée la Canée, avec la plus merveilleuse femme que j'aie eu l'honneur de rencontrer au cours de plus d'une quarantaine d'années d'existence. Après environ dix-sept ans à répéter incessamment les mêmes gestes, entouré des mêmes personnes, à la même heure, tous les jours, et à remettre ça encore et encore, j'avais enfin été sorti de cette punition par la belle Amadrya et je me retrouvais ici.

Nous décidâmes d'aller manger quelque chose dans un restaurant nommé le Moutoupáki où le capitaine avait ses habitudes quand il venait de ce côté de la Crète. Nous fûmes accueillis comme des rois par un couple charmant, et pour couronner le tout, la nourriture très raffinée fut un régal pour nos papilles reconnaissantes.

En fin de soirée, nous retournions à bord du *Volubilis* pour boire un dernier verre avant d'aller nous coucher.

— Merci infiniment capitaine de nous avoir permis d'arriver jusqu'ici. Demain il faudra que nos chemins se séparent, mais vous et le regretté monsieur Fynigann aurez pour toujours une place très particulière dans nos cœurs.

Rya avait touché la corde sensible de ce capitaine petit par la taille mais avec un cœur énorme ; il lui répondit :

— Rya ! Toi et Ez, vous avez fait en sorte que l'*Volubilis* et son équipage servent à quequ'chose de noble ! Ça f'sait longtemps qu'on servait plus à rien, à part transporter des marchandises sans âme uniqu'ment dans l'but de gagner quelques piécettes et surtout, dira-t-on, pour n'pas mourir d'ennui à quai dans je n'sais quelle taverne sordide d'un port perdu.

Il prit un moment et, après une lampée de son sirupeux nectar, il reprit :

— Moi et ce très cher Fynigann, paix à son âme ! dit-il en regardant la mer, levant son verre en signe de respect. Nous avons traversé des mers et des océans, j'me rappelle même plus combien d'fois. Mais sachez que je n'avais jamais vu ce grand marin qu'il était aussi heureux d'vous avoir à bord avec nous. Il était sûr que vous étiez de bonnes personnes et j'le rejoins sur ce point. Alors maintenant qu'nous sommes arrivés jusqu'ici et que m'sieur Fynigann nous a quittés, j'aimerais beaucoup vous faire une proposition, si vous me l'permettez bien sûr ?

Nous l'observions, écoutant attentivement puis acquiesçant de la tête. Il avait les yeux brillants.

– Vous pensez qu'ce s'rait possible qu'un vieux loup d'mer comme moi se joigne à votre expédition ? J'sens que je dois terminer c'que nous avons commencé ensemble, ne s'rait-c'qu'en l'honneur de mon très cher second qui y a laissé plus que des plumes, le pauvre, lui qui n'avait déjà plus un poil sur le caillou.

Nous eûmes les trois un sourire complice en repensant à ce grand gaillard, balafré certes, mais à la gentillesse encore plus grande que lui.

– Bien sûr que vous pouvez venir avec nous ! D'ailleurs, pour vous dire la vérité, nous n'osions pas vous le demander, lui dis-je, en accompagnant mes mots d'une accolade amicale.

Après avoir fêté allègrement la promotion de notre nouveau compagnon de route, c'est le ventre plein de bonnes choses que nous allions nous coucher, bercés par une mer tranquille, et Rya, enlacée tout contre moi.

J'ouvris les yeux au beau milieu de la nuit, réveillé par un bruit venu de l'extérieur.

Je me faufilais lentement hors du bateau sans me faire remarquer, et quelle ne fut pas ma surprise quand je m'aperçus que la ville avait totalement disparu et laissé place à une forêt qui s'étendait sur les hauteurs d'une colline.

Après avoir enfilé ma paire de chaussures, je débarquai du *Volubilis* pour essayer de comprendre où nous avions encore atterri.

J'entendis non loin de moi quelque chose qui ressemblait à des pleurs ou à des bruits de lamentation ; alors, sans vraiment trop savoir pourquoi, je décidai de les suivre.

Arrivé à une centaine de mètres plus profondément dans ce bois, je commençai à voir scintiller ou plutôt briller une forme.

Plus j'approchais et plus la forme de cette intrigante chose lumineuse semblait me faire comprendre qu'il s'agissait d'un arbre, qu'on pourrait dire plutôt commun à première vue, s'il n'avait pas eu cette luminescence que je ne m'expliquais pas. Je me rapprochai encore et écoutai plus attentivement pour essayer de distinguer d'où pouvaient bien provenir ces gémissements qui me semblaient si proches. Puis, arrivé à quelques centimètres de l'arbre, je dus me faire à l'évidence : c'était bien l'arbre lui-même qui pleurait.

J'approchais, encore un peu plus près, collai mon oreille tout contre lui, et là j'entendis une chose incroyable. Les battements d'un cœur qui résonnaient profondément à l'intérieur du tronc.

Je décollai mon oreille pour l'inspecter plus attentivement et là, à travers les rides de l'écorce, deux yeux s'ouvrirent brusquement, et dans un sursaut de surprise je tombai violemment en arrière.

Je me réveillai en sueur, le cœur palpitant. Il me fallut quelques minutes pour sortir hors de la cabine afin de constater que la ville de Chania était toujours là, et que ce n'avait été qu'un rêve étrange. Alors je retournai me coucher, ayant un peu de peine à me rendormir, pensant à ce songe qui n'avait absolument ni queue ni tête.

Des bruits sur le pont me réveillèrent à nouveau. C'était Rya et le capitaine qui s'affairaient à débarquer la Mustang de 1970 sur le quai, sous le regard de quelques badauds curieux.

Une fois la cabine du navire fermée pour empêcher quiconque d'y pénétrer en l'absence de Martinez, nous prîmes enfin la route. Mais pour aller où ?

– Il faut nous rendre au sommet d'une montagne à environ quarante minutes d'ici, proche de Chordaki.

Elle me tendit un bout de papier où il y avait écrit les coordonnées GPS suivantes : 35° 32'57.9" N 24° 10'21.9" E, ainsi que quelques mots griffonnés à la va-vite au crayon gris :

« Soit prudente quand tu seras là-bas ma belle.
Je serai toujours avec toi. »

Et à ma plus grande surprise, c'était signé Archi.

– Il me l'avait donné avant de nous quitter, m'expliqua Rya, une expression de tristesse sur le visage.

Nous roulions à bonne allure, imitant la manière de conduire des habitants de l'île, et nous arrivâmes effectivement en moins d'une heure au pied d'une montagne. Une route plutôt mal entretenue grimpait le long de son flanc.

Étant donné le fort dénivelé et les tas de pierres nous bloquant quelques fois la route, je dus faire de mon mieux pour assurer les démarrages en côte à chaque fois que l'on devait repartir après avoir dégagé le chemin pour nous permettre de passer.

Mais après une trentaine de minutes et presque autant de sueurs froides, nous arrivâmes finalement au sommet où se trouvait une ancienne station météo, visiblement abandonnée et toute rouillée, avec une énorme antenne pointée vers le ciel à environ cinquante mètres au-dessus de nos têtes, qui venait dominer le paysage alentour.

C'était merveilleux de voir cette mer d'un bleu si vif créer un tel contraste avec les collines et les plaines sèches et arides qui nous entouraient de toute part. J'avais réellement l'impression, plongé dans ce décor, de me trouver dans une des aventures d'Ulysse, ou de je ne sais quelle autre légende de la mythologie grecque.

Rya nous demanda de la suivre.

– Maintenant il faut trouver l'entrée, allons-y !

Nous la suivions en ignorant totalement à quoi nous devions nous préparer, mais connaissant Rya, il fallait probablement nous attendre à être surpris.

– Là, regardez !

Derrière une espèce de plaque en fer tout oxydée, ne tenant debout visiblement que par l'opération du Saint-Esprit, un passage exigu traversait le mur pour nous conduire dans une petite pièce vide où seul un vieil ascenseur nous ouvrait ses portes.

Elle nous fit signe de la suivre.

Nous prîmes place à l'intérieur, puis elle dit d'un ton ferme mais en chuchotant :

– Descendons !

CHAPITRE 13

DANS LA MONTAGNE

– Où allons-nous atterrir, Rya ? demanda le capitaine Martinez.

– Chut ! Moins fort, ils pourraient vous entendre !

Cette phrase que venait de prononcer Rya ne me rassurait pas le moins du monde. Au contraire, j'étais dans un état de stress indescriptible, et la chaleur ressentie en raison de notre enfermement à l'étroit dans cette boîte métallique qui descendait vers les tréfonds de la terre, avec je ne sais quel genre de surprise qui nous attendait en bas, ne me ravissait pas non plus.

L'endroit où nous nous trouvions ressemblait à un ancien monte-charge datant de je ne saurais trop quelle époque reculée. La lenteur de son déplacement et les bruits de grincement qu'il produisait n'apportaient que plus de tension à la situation déjà très angoissante, et au niveau de la discrétion, on aurait pu faire mieux.

Un bruit encore plus bizarre, paraissant venir du toit, se produisit subitement et l'ascenseur stoppa net !

Après nous être regardés quelques secondes sans rien dire, mais en se faisant bien comprendre, par nos regards tremblants, que cela n'augurait rien de bon, Martinez brisa le silence et chuchota dans ma direction :

– Fais-moi la courte échelle, j'vais essayer d'aller voir là-haut si y'a moyen de faire repartir c'vieux tas d'ferraille !

Je m'exécutai, et après qu'il eut soulevé une toute petite trappe qui se trouvait juste au-dessus, nous vîmes disparaître le capitaine qui avait tout juste, grâce à sa petite taille, réussi à s'y introduire.

Les minutes semblaient longues et les gouttes de sueur ruisselaient déjà sur nos visages.

Puis brutalement, dans un tremblement sec et assourdissant, l'ascenseur reprit sa descente, ce qui nous soulagea pendant un moment. Mais pas longtemps du tout, car quasiment immédiatement après il stoppa à nouveau, ne laissant même pas le temps au capitaine de revenir vers nous.

Les portes s'ouvrirent, laissant entrer un souffle d'air frais et, avec lui, trois fusils mitrailleurs pointés dans notre direction.

– Levez les mains et ne bougez surtout pas d'un poil !

Pris au piège, sans aucune solution pour nous échapper, nous nous étions simplement jetés tout droit dans la gueule du loup.

— Allez, suivez-nous ! Et avancez sans faire de geste brusque, ça nous attristerait de devoir faire usage de la force !

Et boum !

L'un de nos assaillants me colla un coup de pied fulgurant dans le ventre qui me fit m'agenouiller puis rouler par terre.

— Relève-toi ! Plus vite que ça ! Tu exagères, c'est pas une petite pichenette amicale comme celle-là qui va faire du mal à un grand garçon comme toi !

Ils se regardèrent les trois en gloussant comme de grands enfants abrutis.

Je me relevai avec peine après ce violent coup au foie. En sortant de cette maudite boîte qui, j'en étais sûr à présent, nous avait conduits jusqu'aux enfers, je laissai trainer un regard discret en direction de la trappe où s'était engouffré notre ami pour y voir juste deux yeux ronds qui observaient la scène avec impuissance mais qui laissaient transparaître la colère. Puis, en avançant dans un couloir aux murs blancs et nus, nous entendîmes les portes de l'ascenseur se refermer et un bruit de ferraille grinçant qui nous fit comprendre que l'ascenseur remontait automatiquement à la surface.

Ouf ! Le capitaine avait vraisemblablement réussi à s'échapper, du moins je l'espérais et priais pour que personne ne l'attende là-haut.

Nos geôliers nous firent passer par plusieurs portes et divers couloirs pour finalement m'enfermer seul dans une pièce qui ressemblait beaucoup à une cellule de prison comme on peut en voir dans n'importe quel reportage sur la vie carcérale.

Je frappais de façon frénétique sur la porte car ils emmenaient Rya. Pour la première fois, nous étions séparés. Après plusieurs minutes à cogner contre la porte, je commençais à me faire à l'idée que j'étais totalement impuissant face à cette fatalité et qu'il fallait bien me résoudre à me calmer.

Je n'avais jamais été enfermé de la sorte et la sensation étrange que je ressentais d'avoir une porte sans poignée devant moi me fit me rendre compte à quel point notre liberté ne tenait finalement qu'à très peu de choses.

Où était Rya ? Qu'est-ce qu'ils lui faisaient subir ? La reverrais-je un jour ? Ou est-ce que j'allais tout simplement crever de faim enfermé pour toujours dans cette tôle ? Mais surtout, pourquoi Rya nous avait-elle

conduit ici ? Trop de questions et pas de réponses !
Même pas une fenêtre pour observer le dernier paysage
que j'avais pu voir avant de m'engouffrer dans ces
ténèbres. Je fermais les yeux pour tenter de me relaxer
et d'imaginer les merveilleux endroits que nous avions
traversés, mais surtout l'image qui ne me quittait plus
désormais de Rya endormie dans mes bras, les premiers
rayons du matin inondant sa chevelure et caressant la
peau de son corps nu.

Il fallait que nous soyons encore réunis, je n'avais
même pas eu le temps de lui dire au revoir.

Fallait-il que ça finisse ainsi ?

J'avais fini par m'assoupir, avec la sensation de ne
jamais vraiment m'endormir.

Un genre de sommeil saccadé, sans aucun doute dû à
toutes ces incertitudes et assurément aussi au fait d'être
couché là, sans aucune couverture pour me protéger du
froid que l'on peut ressentir quand notre corps est
fatigué. À force, j'avais perdu la notion du temps. Était-
ce la nuit ? Le jour ?

Le seul moyen qu'il me restait pour me rendre compte du temps écoulé passé dans cette geôle était la douleur qui commençait à me torturer les boyaux, signe que je commençais à avoir faim et surtout soif.

Je regardais de façon machinale et inconsciente les murs blancs de ce cachot.

Ils paraissaient très propres et sans aucune trace apparente pouvant indiquer que quelqu'un d'autre avait été enfermé ici avant moi.

C'est en regardant plus attentivement un détail qui au départ me parut être un fait de mon esprit, fatigué par ces quelques heures de captivité, que je réalisai une chose incroyable mais pourtant bien réelle. La porte de ma cellule était très légèrement entrouverte ! Comment était-ce possible ?

J'avais frappé comme un forcené pendant des dizaines de minutes et elle était bien restée close à ce moment-là.

Comment se pouvait-il que désormais elle soit ouverte ?

Je m'approchai pour l'examiner de plus près.

Elle était bel et bien ouverte, et donc seulement quelques centimètres me séparaient de la liberté.

S'agissait-il d'un piège pour me tester et donner un motif raisonnable à cet abruti qui m'avait agressé à mon arrivée ici pour pouvoir m'en mettre encore plein la figure ? Prudemment, je me risquai à jeter un œil à l'extérieur. Pas un bruit et aucun mouvement n'indiquant qu'un sbire ou n'importe qui se trouverait dans les environs, prêt à me sauter dessus pour me faire passer un sale quart d'heure.

Avec le plus de discrétion possible, je décidai de sortir et, arpentant ce couloir également d'un blanc de lait sur la pointe des pieds, je finis par déboucher sur une porte d'un rouge plutôt menaçant qui arborait un étrange symbole.

Il s'agissait d'un croissant de lune avec un point au milieu d'où une croix à l'envers semblait descendre ; deux serpents stylisés sur les côtés sortaient aussi du cercle. J'ignorais totalement la signification de ce symbole.

J'eus du mal à franchir la porte, ne sachant pas quelles surprises pouvaient bien se cacher derrière.

Qui savait si des gardes ne m'attendaient pas, arme au poing, prêts à tirer au moindre mouvement de ma part. Mais bon, je n'avais pas vraiment le choix, à moins de retourner vers l'ascenseur et essayer de remonter retrouver le capitaine qui avait, je l'espère, réussi à fuir au volant de la Shelby.

Je baissai la poignée avec précaution et arrivai dans un énorme hall, ou plutôt une espèce de grand hangar avec plein de caisses et de matériel scientifique entassés sur de gigantesques étagères, un peu à la façon d'un magasin de meubles où l'on doit aller se servir soi-même grâce à une référence et aux panneaux indiquant des numéros à l'entrée de chaque allée. Là, des hommes et des femmes vêtus de combinaisons vertes, par chance pour moi trop concentrés pour remarquer ma présence, s'attelaient à leur tâche.

Je ramassai une barre métallique d'une quarantaine de centimètres de long qui se trouvait à mes pieds.

Puis, restant là un instant sans faire de mouvement pour observer le va-et-vient de tout ce joli petit monde, j'entendis quelqu'un approcher !

Je ressentis comme une montée d'adrénaline me submerger au moment où cet homme de taille moyenne arriva à une distance assez proche de moi pour pouvoir le saisir par l'arrière de sa combinaison et, sans lui laisser le temps de lancer un signal d'alarme, je lui assénai un coup violent sur l'arrière du crâne. C'était la première fois que je faisais usage de la force, et après avoir dissimulé son corps, j'enfilai sa combinaison, laissant ce pauvre type caché derrière des caisses, bâillonné et en sous-vêtements.

Je me dirigeai ensuite sans trop me faire remarquer à travers tous ces ouvriers qui vaquaient à leurs occupations. J'avais pris une sorte de liste pour faire semblant de vérifier si tout était bien à sa place dans les stocks et, tête baissée, j'avançais tranquillement. Il fallait absolument que je retrouve Rya pour que nous puissions nous enfuir de cet endroit inquiétant.

Quand j'arrivai au bout de cet entrepôt, je trouvai un ascenseur qui me mena encore quelques étages plus bas. Là, les gens ressemblaient plus à des hommes de science qui me croisaient sans me remarquer.

– Vous devez porter un masque pour être ici ! Vous êtes fou ou quoi ? Ce sont les règles de base ! Tenez ! Prenez ça et mettez-le immédiatement !

Un homme avec de petites lunettes rondes, des cheveux longs et blancs, me tendait un masque chirurgical.

Il n'était pas revêtu d'une combinaison verte mais blanche, ce qui me laissait penser qu'il devait s'agir d'un docteur ou d'un professeur.

Ce n'est qu'en y regardant à deux fois que j'eus l'impression d'avoir vu un fantôme.

Sous ce masque qui cachait la moitié du visage, un clin d'œil complice me fit reconnaître l'homme qui se trouvait là devant moi.

– Archi ?

– Ici tu peux m'appeler professeur Nevanlinna !

Comment était-ce possible, il avait donc survécu à cette terrible soirée !

– Mais…

– Chut ! Viens avec moi !

Je le suivis dans ce dédale de couloirs. Il boitait un peu, sans doute en raison de la blessure qu'il avait subie le soir de l'attaque au campement.

Nous nous dirigions vers un endroit visiblement encore mieux contrôlé, car Archi dut utiliser son empreinte digitale pour pouvoir accéder à la salle suivante. Nous étions arrivés dans une sorte de laboratoire ressemblant beaucoup à une salle d'opération.

– Je suis tellement content de te revoir Ez !

– Et moi alors ?! On pensait que tu y étais resté !

Il me sourit en plaisantant :

– On ne se débarrasse pas aussi facilement d'une vieille mauvaise herbe comme moi ! Alors, tu as trouvé ta porte ouverte ?! me dit-il avec un petit sourire complice.

À peine le temps de me remettre des émotions de ces heureuses retrouvailles, que je lui résumais la situation :

– Rya est ici aussi, on nous a faits prisonniers dès notre arrivée et ils nous ont séparés. Je n'ai aucune idée d'où elle a été emmenée, mais maintenant que tu es là on va pouvoir partir à sa recherche.

Son sourire s'effaça lentement, laissant apparaître une expression de gêne, comme s'il avait honte. Il se déplaça de deux pas sur la droite, et derrière lui se trouvait Rya, endormie sur une table.

Je me précipitai immédiatement dans sa direction.

Elle portait une chemise comme celles qu'on trouve dans les hôpitaux et avait les poignets et les chevilles liées.

– Rya ! Réveille-toi ! Je suis venu te chercher et Archi est là aussi ! Rya ?

Je me tournai vers Archi.

– Viens, aide-moi, on va la transporter. Pourquoi tu restes là sans rien faire ?

Il restait sans bouger, me regardant d'un air triste.

Mais au fait, comment avait-il su que Rya se trouvait dans cette pièce ?

J'avais peur de comprendre ! Je me dirigeai précipitamment dans sa direction, puis brusquement le saisis par le col de sa blouse, qui craqua légèrement sous l'étreinte. Il eut l'air surpris.

– Archi ! Tu vas me dire qu'est c'qu'il se passe ici exactement ?

DANS LA MONTAGNE

CHAPITRE 14

PSYCHÍ TOU DÁSOUS

— Comme tu as dû le comprendre à présent, mon cher Ez, nous nous trouvons dans une structure appartenant à la Grande Arche. Ils m'ont fait prisonnier moi aussi l'autre soir, et après m'avoir soigné, quand j'ai à nouveau été capable de me tenir debout, ils m'ont immédiatement obligé à reprendre les recherches qu'ils avaient continuées en mon absence.

Je n'arrivais pas à y croire !

Lui, l'ami de Rya...

Comment était-il capable, après m'avoir dit qu'il était comme un père pour elle, de la garder ici prisonnière, attachée sur une table d'opération, visiblement droguée, dans ce laboratoire aux allures de tanière de savant fou, où Dieu seul sait quel genre d'expériences immorales avaient lieu ?

– Je ne comprends pas Archi ! Je pense que tu me dois quelques explications, non ?

Il alla jeter un coup d'œil dans le couloir pour, je l'imagine, voir si nous étions bien seuls. Puis, fermant la porte derrière lui, il vint s'assoir.

– Je ne suis pas vraiment sûr que tu sois prêt à entendre et surtout à croire ce que je vais te raconter Ez !

Je m'installai à ses côtés, attendant, les oreilles bien ouvertes, qu'il me révèle enfin ce que j'attendais depuis le début de toute cette histoire.

– Je t'avais expliqué qu'il y a un peu moins de dix ans, j'avais été contacté par cette organisation secrète afin de mener pour eux des travaux concernant un projet en botanique.

Il fronça légèrement les sourcils.

– À cette époque-là, je cherchais à comprendre pourquoi certaines plantes réagissaient à certains stimuli, comme la musique ou d'autres choses capables de créer des réactions comparables. Et bien sûr, au-delà de la science, j'effectuais des recherches dans des livres et autres manuscrits anciens. Et un thème revenait fréquemment, de façon récurrente, quand j'abordais des sujets comme l'âme ou l'esprit des plantes. Il s'interrompit pour m'interroger :

– As-tu déjà entendu parler des Dryades ?

Je ne savais absolument pas du tout de quoi il était en train de me parler, et il dut le comprendre, sans doute en lisant l'expression qui se peignait sur mon visage.

– Dans la mythologie, les Dryades sont des nymphes de la forêt très timides, elles ont un pouvoir sur les plantes et sont capables d'influer sur la nature.

Pour quelle raison me parlait-il de ces vieilles légendes alors que nous étions pressés par le temps et vraisemblablement pas trop en sécurité dans ce labo ?

Il poursuivit :

– Eh bien, un jour où je me concentrais sur un petit arbuste d'une forêt proche de mon lieu de travail en Pologne, j'en ai vu une ! Je procédais à quelques expériences sur cet arbuste et j'ai réussi, pendant une fraction de seconde, bien entendu on pourrait dire comme par miracle, à en apercevoir une, juste avant qu'elle ne s'enfuie et s'engouffre dans les profondeurs du bois.

Archi avait probablement dû recevoir un choc à la tête. Peut-être lui avaient-ils administré une trop grosse quantité d'antidouleur quand ils l'avaient soigné. Où voulait-il en venir ?

Je ne comprenais pas pourquoi il me parlait de ses rêves de vieux professeur fou et de ses fantasmes de je ne sais quelles histoires ou songes mystiques qu'il avait dû faire lors d'une séance de spiritisme et d'élévation de l'esprit en ingurgitant une plante hallucinogène qui avait sans doute poussé dans le laboratoire du campement où nous avions découvert la Mustang Shelby.

– Bien sûr, tu imagines bien que sans une véritable preuve, tous mes confrères scientifiques me prenaient pour un genre d'illuminé. C'est peu de temps après que la Grande Arche est entrée en contact avec moi. Ils étaient les seuls à sembler porter un réel intérêt à mes recherches sur le sujet. C'était donc facile pour eux de me convaincre de venir me joindre à leur projet. De plus, ils me promettaient que je serais à la tête d'un laboratoire hyper sophistiqué avec toute une équipe d'éminents chercheurs tous plus doués les uns que les autres.

Alors qu'il commençait réellement à titiller ma curiosité, Rya fit un mouvement dans son sommeil, comme si elle se débattait dans un cauchemar.

Je lui pris la main qu'elle me serra fort, j'imagine instinctivement, et après un instant, elle se calma.

– Mais qu'est-ce que Rya a à voir là-dedans, Archi ?

Il continua son récit qui captivait désormais mon attention.

– Nous nous étions vite rendu compte qu'il était quasiment impossible d'apercevoir une Dryade car elles sont capables de se déplacer d'un arbre à un autre. Alors nous avions dû concentrer nos recherches sur d'autres sortes de nymphes, qui elles sont condamnées à rester liées à l'arbre qui les a vues naître. Ces nymphes se nomment des Hammadryades.

Des frissons parcoururent mes bras puis mon dos jusqu'à remonter, en passant par ma nuque, au sommet de mon crâne.

– Nous avions entendu parler d'un mûrier, ici en Grèce, auprès duquel aurait été aperçue à plusieurs reprises, selon les légendes locales, une *psychí tou dásous*, pour ainsi dire une âme de la forêt, comme les appellent les gens du pays. Et donc, à force d'investigations poussées, la Grande Arche a réussi à retrouver et à isoler cet arbre. Avec tout le matériel et les équipes nécessaires, nous nous sommes donc rendus là-bas, et grâce à notre savoir accumulé pendant des années…

Il se tut brusquement car quelqu'un passait derrière la porte. Les pas traversèrent le couloir et disparurent en laissant place au silence.

– Bref, nous avons réussi à faire sortir l'Hammadryade qui était unie à cet arbre et l'avons amenée jusqu'ici dans ce complexe. C'est ce jour-là que Amadrya est née, il y a de cela huit ans ! Huit années à lui apprendre nos coutumes et notre langage. Je l'ai aimée immédiatement comme ma propre enfant. Mais malgré toute ma bonne volonté, je n'avais pas vu venir, sûrement en raison de ma trop grande naïveté, les desseins maléfiques et intéressés de mes mécènes.

Rya n'était donc pas humaine !

Je comprenais mieux pourquoi elle m'avait paru si exceptionnelle et pourquoi je n'avais jamais rencontré quelqu'un comme elle.

– Mais, dis-moi, Archi, que lui veulent-ils exactement ?

Il releva un regard humide plein de larmes dans ma direction :

– Au départ ils lui faisaient faire des tests pour voir si elle pouvait influer sur des éléments de la nature, mais visiblement, à part avoir une grande empathie pour les animaux, les plantes, et une gentillesse sans fin, elle ne possédait aucun pouvoir particulier, dira-t-on. Ils se sont donc rapidement désintéressés des expériences la concernant. Mais nous avons continué à apprendre ensemble les choses de la vie pour qu'elle puisse comprendre comment survivre dans notre monde si elle devait un jour pouvoir fuir cet endroit.

– Mais je ne comprends pas Archi, comment se fait-il que nous soyons venus te trouver alors que Rya venait tout juste de s'enfuir ?

Il m'expliqua qu'il avait été renvoyé du projet car il était semble-t-il trop impliqué sentimentalement pour réussir à se concentrer sur le but premier de la Grande Arche, c'est-à-dire découvrir des créatures possédant quelque chose de monnayable et pas juste de jolis miracles de la nature. J'imagine facilement que, perdue, sans repères et à la merci de ces gens qui n'avaient aucun amour à lui donner, Rya avait profité de la première occasion qui lui avait été donnée pour fuir le plus loin possible.

– Mais si elle s'est enfuie depuis ici, comment a-t-elle fait pour réussir à arriver jusqu'en Suisse, où nous nous sommes rencontrés ? Et surtout, pourquoi nous a-t-elle fait revenir ici, dans l'endroit même où se trouve la Grande Arche, que nous tentons de fuir depuis le début de toute cette histoire ?

– Quand vous êtes venus me voir au campement, pendant que tu prenais ta douche, elle m'avait expliqué qu'ils l'avaient emmenée à Genève pour tenter de la vendre à je ne sais quel richissime homme désirant apporter à sa vie, devenue ennuyeuse par tant de luxe et de faste, un peu de frisson et de nouveauté. Et qu'un instant d'inattention de leur part lui avait suffi pour s'emparer de l'argent, s'enfuir et finalement réussir à te rencontrer. Quand elle m'a parlé de son intention de revenir ici, j'ai tenté de l'en dissuader. Mais elle m'avait expliqué qu'elle se sentait obligée de revenir vers cet endroit de malheur, et ce malgré le danger. Cela semblait être devenu comme une obsession.

Je décidai de faire tout ce qui était en mon pouvoir pour sortir Rya de cette situation et demandai à Archi de m'aider. Il me répondit d'un signe de tête signifiant à première vue qu'il était d'accord.

Je comprenais maintenant pourquoi les sbires des Iliakos nous poursuivaient, c'était simplement pour pouvoir récupérer la somme d'argent que Rya leur avait volé lors de la transaction destinée à la vendre à ce richard immonde. Il fallait absolument que nous puissions nous enfuir de cet endroit maudit tout en réussissant à transporter Rya malgré son état léthargique.

– Archi, aide-moi, on va mettre Rya sur ce brancard, la recouvrir d'un drap et aller discrètement quelque part où nous pourrons disparaître sans nous faire remarquer. Tu dois sans doute connaitre un moyen de nous faire sortir d'ici ?

– J'aimerais bien, Ez, mais malheureusement je n'ai pas les clés des liens qui la retiennent prisonnière, et même si nous réussissons à la détacher, je doute que nous trouvions une solution pour nous enfuir sans que personne ne s'aperçoive de notre absence. D'ailleurs, ils doivent déjà être à ma recherche, ou ils doivent commencer à se demander pourquoi j'ai disparu depuis aussi longtemps.

Je me rendis compte à ce moment-là à quel point Archi avait peur de nos ravisseurs, et que rien, à part un miracle, ne m'aurait rendu assez convaincant pour le persuader de faire tout ce qui était en notre pouvoir pour unir nos forces et trouver un plan pour nous faire la belle. Je regardais Rya endormie, plus jolie que jamais, comme s'il s'agissait de notre première rencontre. J'avais envie de l'embrasser, et qui sait, peut-être qu'elle se réveillerait comme dans les contes de fées de mon enfance où tout finissait bien à la fin.

Arrête de rêver, imbéciles ! Tu t'es enfoncé là-dedans jusqu'au coup et tu t'imagines qu'un simple baiser d'un prince charmant quarantenaire pourrait être la solution pour que la princesse s'enfuie avec toi en toute sécurité dans le soleil couchant... Et ils vécurent heureux, et blablabla...

Archi eut soudain l'air d'avoir une idée, alors que je réussissais à faire sauter les liens qui retenaient Rya.

– Nous pourrions peut-être…

Il arrêta subitement de parler car de grands bruits se faisaient entendre dans le couloir et se dirigeaient dans notre direction.

– Quoi qu'il arrive, ne dis pas un mot, laisse-moi parler si quelqu'un nous surprend ensemble ici.

Il finissait à peine sa phrase que des hommes armés pénétrèrent en trombe dans le laboratoire et me braquèrent immédiatement. Archi essaya tant bien que mal de balbutier quelques explications en bégayant quelque peu avant de prendre un grand coup de crosse dans le ventre, ce qui le fit tomber à genoux, terrassé par la douleur.

Puis nos assaillants s'écartèrent et laissèrent apparaître un homme à l'allure élancée, laissant dépasser de sous son chapeau élégant des boucles blondes.

Il devait avoir trente-cinq ou quarante ans ; ses habits raffinés, très certainement hors de prix, me laissaient comprendre qu'il devait bien s'agir d'un de ces Iliakos dont m'avait parlé Rya.

– Alors, Professeur Nevanlinna, vous ne devriez pas être à votre poste de travail maintenant que nous sommes si proches du but ? Au lieu de cela, je vous retrouve au chevet de cette pauvre petite chose, pleurant toutes les larmes de votre corps pour cette fille qui vous est si chère. Mais n'oubliez pas notre marché : si vous voulez pouvoir vivre des jours heureux avec votre petite protégée, il vous faut finir ce qui a été commencé.

L'homme détourna son regard dans ma direction et me tendit la main, que je ne lui serrai pas.

— Navré que nous ayons dû faire connaissance dans d'aussi fâcheuses conditions. Laissez-moi me présenter : je me nomme Sir Edward Duncan et je suis en quelque sorte le responsable des lieux. Et vous, vous êtes monsieur Ange Velasquez, né à Genève le 8 novembre 1979, employé en tant qu'ouvrier pour la ville depuis dix-sept ans, fils de Maurizio Velasquez et Maria Velasquez née Gomez, tous deux originaires d'Espagne, ayant fui le pays en 1970 sous le régime de Franco.

J'avais eu droit au récapitulatif de mon état civil en à peine trente secondes par cet étrange personnage, tellement sûr de lui. Il s'approcha de Rya et effleura sa joue avec sa main gantée. Je m'avançai brusquement pour montrer ma désapprobation, mais les fusils qui me barraient le passage se firent plus menaçants encore.

Je pris la parole, semblant créer la stupeur sur le visage d'Archi et des hommes de main qui nous braquaient.

— C'est génial, vous avez appris par cœur mon curriculum vitae, vous voulez aussi que je vous donne ma pointure de chaussures et mon plat préféré ? Non ? Bon, arrêtons de jouer et dites-moi plutôt ce que vous nous voulez, Duncan !

Il eut l'air amusé et souleva une mèche de la chevelure de Rya.

— Je ne veux absolument rien d'elle ! Elle est parfaitement inutile, et vous encore plus insignifiant au vu de votre misérable existence, si triste, sans but et répétitive ; vous vous démenez tel un Sisyphe qui ne cesserait de remonter sa pierre en haut de la colline pour la voir redescendre, et cela jusqu'à la nuit des temps.

Il avait touché un point sensible, le salaud !

Effectivement, je savais que ma vie n'avait rien de trépidant, mais l'entendre dire de la bouche de ce pauvre crétin imbu de lui-même faisait résonner toutes mes frustrations dans ma tête et me fit monter les nerfs, ce qui dut très certainement se voir sur mon visage. Il se mit à rire avec l'attitude et la retenue d'un aristocrate.

– Je vous aime bien, monsieur Ez ! Au fait, vous permettez que je vous appelle Ez, n'est-ce pas ?

Je ne répondis pas et serrai les lèvres pour ne pas lui cracher à la figure.

– Eh bien, vous savez quoi ? Je vais enfin apporter un peu de piment à votre vie si insignifiante. Vous pourrez être le témoin de la chose la plus grandiose qu'il ait été donné à un mortel de voir. Je vais avoir l'immense honneur, avec le professeur Nevanlinna, bien sûr, de vous en donner un aperçu et de vous mettre dans la confidence.

CHAPITRE 15

LE SECRET DES DIEUX

Nous avions été emmenés dans une cellule similaire à celle où j'avais été enfermé peu de temps auparavant. Ils avaient porté Rya jusque-là et l'avaient déposée sur un lit de camp de fortune. Je restais près d'elle, lui serrant la main en espérant du plus profond de moi qu'elle reprenne connaissance.

Elle était vraiment magnifique. Le teint légèrement plus pâle qu'à l'accoutumée, sans doute en raison de la léthargie artificielle dans laquelle elle était plongée depuis plusieurs heures maintenant. Nous étions seuls tous les deux. Archi était parti avec nos geôliers, m'ayant jeté un dernier regard presque honteux juste avant de disparaître derrière cette porte qui à présent restait désespérément close.

Je repensais à tout ce que m'avait raconté Archi à propos de ces histoires d'arbres, d'Hammadryades et, soyons francs, surtout au fait que Rya était une espèce de nymphe sortie tout droit de je ne sais quels contes féeriques ou mythologies antiques.

Elle paraissait pourtant tellement humaine, là dans mes bras, au-delà du fait que sa beauté et son charme dépassaient de beaucoup ceux des autres femmes qui avaient pu traverser ma vie. C'était peut-être parce que je la regardais avec les yeux d'un homme amoureux que ma perception et mon jugement s'en trouvaient faussés ! Aveuglé par ces sentiments, qui en très peu de temps finalement avaient pris une si grande importance, elle avait désormais une place centrale et primordiale dans mon existence. J'avais comme la sensation qu'elle avait toujours été présente dans mes rêves. Je l'embrassais avec tendresse, en espérant secrètement que mon amour pourrait l'extirper de ce sommeil de mort, et pour la toute première fois, ces mots qui n'avaient eu que très rarement de sens jusqu'ici dans ma vie réussirent à se frayer un chemin de mon cœur à mes lèvres :

– Rya, je t'aime !

Une larme avait coulé le long de ma joue et était venue mourir sur son visage.

Un très léger mouvement de paupière fut perceptible au moment où cette goutte remplie d'amour et d'espoir vint effleurer sa peau.

Puis, avec autant de délicatesse qu'une fleur ouvre ses pétales, elle entrouvrit ses yeux et je pus à nouveau voir ce regard aux couleurs d'ambre qui avait définitivement pris possession de mon être, pour le temps qu'il me resterait à vivre sur cette terre, et sans doute plus encore. Elle eut pour moi un regard rempli de reconnaissance, comme si grâce à mes sentiments elle avait réussi à retrouver son chemin dans cette nuit où elle semblait perdue, sans un espoir de pouvoir revoir la lumière du jour.

– Je t'ai entendu m'appeler, Ez ! J'étais comme perdue dans un rêve mais je t'entendais.

Elle reprit gentiment ses esprits, et après avoir vu où nous nous trouvions, elle m'interrogea sur ce qui s'était passé pendant qu'elle était inconsciente.

Je pris quelques instants avant de me lancer et de lui expliquer tout ce qui m'avait été révélé. Elle eut un air gêné au moment où j'arrivais au passage où Archi m'expliquait qu'elle était une Hammadryade.

Elle ne cessa de baisser les yeux et de fixer le sol qu'au moment où je lui dis que rien n'avait plus d'importance pour moi que de pouvoir être avec elle, que toute cette histoire ne la rendait que plus merveilleuse et exceptionnelle à mes yeux. Elle me prit dans ses bras et me donna un baiser.

Je lui racontai aussi ma rencontre avec Sir Edward
Duncan et le fait qu'il souhaitait visiblement partager un
prétendu secret avec moi, sans doute pour que je puisse
l'emporter dans ma tombe, une fois qu'il m'aurait réglé
définitivement mon compte.

Après un temps qui nous sembla durer plusieurs
heures, un bruit de trousseau de clés venu de derrière la
porte se fit entendre. Nous fûmes alors emmenés le long
de couloirs en zigzag, croisant ici et là des hommes et
des femmes vêtus de combinaisons qui ne différaient
que par leurs couleurs.

Puis, une fois arrivés aux portes d'un monte-charge
de très grande taille, nous avons entamé notre lente
descente qui devait nous mener inexorablement vers
notre destinée, à ce moment-là emplie d'incertitude.
Quand les portes de l'ascenseur s'ouvrirent finalement
sur un gigantesque laboratoire, ou plutôt une salle
d'expérimentation, la première chose qui me sauta aux
yeux fut l'opulence de matériel high-tech disposé de
façon aléatoire, à première vue, avec tout un tas
d'individus affairés à leurs tâches respectives.

Mais en y regardant de plus près, on pouvait
remarquer que toutes ces machines et ustensiles étaient
placés de telle sorte qu'ils entouraient et laissaient à
peine entrevoir, trônant au centre de ce spectacle

d'écrans de contrôle et de kilomètres de câblage, un arbre de taille moyenne ayant une apparence difforme. Très large au niveau du tronc mais très peu développé sur le dessus, avec seulement quelques branches très feuillues. Tout autour il y avait des lumières artificielles et des réflecteurs apportant l'énergie nécessaire pour que cette vie végétale puisse se développer ici, au fin fond de la terre, au centre de la montagne.

— Vous voilà enfin ! Êtes-vous prêts à assister à la chose la plus spectaculaire qu'il vous sera donné de voir dans votre vie de simple mortel ?

Sir Duncan se trouvait là, à quelques mètres derrière nous, assis sur une espèce de canapé volumineux de velours bordeaux. Debout à ses côtés, se tenait Archi, l'air abattu, transpirant, et le regard fuyant.

— Allons, allons, venez près de moi, je vais vous présenter à mes chers hôtes qui ont eu l'immense amabilité de venir assister, eux aussi, à ce si grand moment pour notre assemblée. Un moment qui restera, j'en suis certain, gravé comme le premier pas de l'ascension de l'homme pour approcher et bientôt tutoyer les dieux.

Quelle grande gueule ce Duncan, tutoyer les dieux, rien que ça ? Je sais pas où il avait été la chercher celle-là, mais il fallait oser la sortir sans trembler du menton.

Effectivement, non loin de lui, se trouvaient cinq hommes et trois femmes aux airs de gens du grand monde, tous assis sur des fauteuils.

Sur leur droite, prêts à réagir à leurs moindres désirs, se tenaient des majordomes vêtus de smokings noirs, très classes et visiblement faits sur mesure.

— Si vous veniez vous assoir près de nous, vous pourriez ainsi profiter de toute l'intensité de cet instant.

Il nous montra du doigt deux chaises pliantes disposées à quelques mètres de lui.

Les trois gorilles qui nous avaient conduits jusqu'ici nous poussèrent dans leur direction et nous forcèrent à prendre place pour assister à je ne sais quel spectacle, qui visiblement avait l'air de faire frétiller et de mettre dans tous ses états le maître des lieux.

J'avais remarqué que Rya ne cessait d'observer cet arbre avec un visage plein de méfiance.

— Qu'y a-t-il, Rya ? Pourquoi tu as l'air si craintive ? Que se passe-t-il ?

Elle ne répondait pas et gardait les yeux fixés sur le tronc de cet affreux arbre qui semblait visiblement lui faire très peur.

Duncan poursuivit :

— Allez-y professeur Nevanlinna, commencez à expliquer à nos convives les extraordinaires avancées que nous avons réussi à accomplir grâce à tous les efforts et les soutiens financiers que nous ont apportés nos très chers invités ici présents.

J'imaginais bien à ce moment qu'il devait s'agir des mécènes Iliakos qui se trouvaient là et qu'ils devaient tous faire partie de la Grande Arche.

Duncan dévisagea Archi d'un air menaçant, puis tourna ses yeux vers Rya, pour revenir plonger son regard machiavélique dans celui soumis d'Archi. Il était clair qu'il lui faisait faire ce qu'il voulait sous peine de faire du mal à celle qu'il considérait comme sa fille. Après s'être essuyé le front d'un revers de manche et avoir toussoté pour désencombrer sa gorge, Archi prit la parole :

— Vous savez déjà tous qu'il y a huit ans nous sommes parvenus à faire émerger d'un arbre de la forêt de l'île de Dragonada une Hammadryade.

Je jetai un œil à Rya et lui pris la main.

Sa main était moite et son visage commençait réellement à se décomposer dans une expression de frayeur. J'essayai de lui faire un signe amical pour la rassurer.

– Cela avait été un bond de géant pour l'époque, et nous aurions dû continuer nos recherches sur ce sujet-là pour apprendre, sans aller trop vite, à comprendre…

Duncan le coupa.

– Je pense que ce que veut dire le professeur Nevanlinna, c'est qu'après nous avoir quittés pour prendre un peu de repos, il a ressenti le besoin de venir terminer ce qu'il avait commencé. Et que, grâce à l'équipe qu'il avait formée et qui avait continué son travail lors de son absence, nous avons avancé de façon exponentielle.

Archi se reprit.

– Oui effectivement, nous avons donc continué nos expériences jusqu'à aujourd'hui.

Il s'approcha de l'arbre.

– Il s'agit donc d'un mûrier que nous avons fait pousser ici même. Son apparence si particulière est due aux modifications génétiques que nous avons apportées à ce clone du premier arbre originel de l'île de Dragonada.

C'était donc une réplique de l'arbre de Rya !

Voilà pourquoi elle semblait étonnée et même apeurée par cet étrange végétal qui n'avait en fait rien de naturel. On avait vraiment la sensation qu'elle pouvait ressentir comme une énergie négative qui se dégageait de ce mûrier qu'ils avaient bidouillé génétiquement mais qui était finalement aussi une partie de Rya.

Nous avions donc enfin la raison pour laquelle Rya se sentait comme inexorablement attirée par ce lieu. C'était probablement cet arbre, ou plutôt cette aberration de la nature, qui avait faussé son instinct, la poussant de ce fait à nous faire tomber en plein dans la gueule du loup.

Duncan se leva et reprit la parole :

– Nous allons donc dans quelques minutes voir venir au monde ce pour quoi nous avons tant travaillé. Vous dans nos laboratoires, professeur, et vous, chers amis, à travers vos dons et votre patience. J'ai donc l'honneur de faire de vous les uniques et privilégiés premiers êtres humains à assister à la révélation de ce que nous, Iliakos, maîtres du symbole de la lune, appelons « le Secret des dieux ».

La lune, voilà ce que représentait le symbole que j'avais vu plus tôt sur la porte rouge, celui des Iliakos. Duncan fit un signe à Archi pour qu'il démarre l'expérience. Après avoir furtivement dirigé son regard vers nous, comme pour nous dire qu'il était désolé de ce qui allait suivre, il se tourna vers les quelques scientifiques qui n'attendaient qu'un signe de sa part pour mettre en route les appareils qui entouraient l'arbre. Puis il ordonna le top départ !

Le ronronnement des machines se fit entendre.

Le bruit devenait de plus en plus fort, comme si les machines se chargeaient en énergie. La respiration de Rya augmentait elle aussi en intensité, elle me serrait la main tellement fort. Le regard et le sourire de Sir Duncan le faisaient ressembler à un fou furieux, qui après l'avoir frottée attendait avec convoitise de voir apparaître un génie hors de sa lampe.

Puis soudain une gigantesque impulsion électromagnétique vint frapper de toute sa puissance l'arbre, pour y pénétrer, avait-on l'impression, jusqu'au plus profond de son ADN. Je ressentis moi-même l'onde de choc qui me fit vibrer le crâne et les organes comme après une grosse explosion, mais ce ne fut rien comparé à Rya qui s'effondra de sa chaise en se tenant la poitrine, comme elle l'avait fait quelques jours auparavant quand nous étions au bord de la mer et qu'elle avait failli se noyer.

Elle avait perdu connaissance. Un silence quasi total s'était fait dans le laboratoire et tous avaient les yeux rivés sur le tronc, sauf moi qui semblais être le seul à me soucier de Rya, essayant désespérément de la réanimer. Ce ne fut qu'après une vingtaine de secondes qu'on entendit un grondement sourd et profond qui venait du mûrier. C'est là que, semblant sortir comme un spectre de derrière un mur, nous pûmes voir apparaître deux énormes mains à quatre doigts de couleur grise, avec des griffes, suivies par deux gigantesques bras paraissant humains, mais disproportionnés.

Suivirent deux autres bras, ressemblant plus aux pattes arrière puissantes d'un molosse géant, et possédant quant à eux trois doigts également munis de grandes griffes acérées. Le corps musclé de cette créature qui semblait se tenir à quatre pattes était de plus haute taille sur l'avant que l'arrière, se rapprochant de la forme d'un gorille, mais dix fois plus massif et sans un seul poil sur sa cuirasse identique à une peau d'éléphant sèche, craquelée et grisâtre.

Une queue épaisse et longue comme un python, se terminant par des excroissances, ou des sortes de franges ressemblant à des nageoires en os donnant fortement l'impression d'être tranchantes. Puis, surplombant la bête, une tête surpuissante, paraissant ne pas avoir de cou, jaillissant du haut de son torse, les tempes hypertrophiées et musclées.

Ses deux yeux menaçants sur l'avant du crâne, juste au-dessus d'une bouche armée d'une dizaine de dents pointues, lui donnaient un air terrifiant.

Et pour finir, comme une malformation de la mâchoire, on pouvait voir apparaître de chaque côté du menton deux espèces de défenses d'au moins cinquante centimètres, ayant la forme de couteaux de chasse et semblant être faites de la même matière que les excroissances de la queue.

La créature se tenait là, presque majestueuse, scrutant lentement tout autour d'elle, donnant la sensation qu'elle cherchait à retrouver ses esprits afin de savoir où elle se trouvait.

Plus personne ne bougeait et l'atmosphère était lourde. Duncan était resté silencieux, avec un regard plein d'admiration face à l'abomination qu'il venait de créer.

Il s'avança délicatement vers ce monstre. On aurait dit un enfant. Il donnait un peu l'image d'un docteur Frankenstein découvrant pour la première fois sa créature, curieux mais prudent.

Pas après pas, il se rapprochait de cette chose et arriva pour finir à quelques centimètres de sa tête. La créature renifla la main qu'il lui avait tendue, puis elle inclina la tête et Sir Duncan la flatta d'une caresse sur le crâne.

Il se tourna vers l'assemblée avec un sourire satisfait, levant les bras au ciel.

– Voyez, admirez la toute-puissance des dieux qui est à notre portée !

Mais en moins de temps qu'il ne fallut pour le dire, la créature planta l'une de ses défenses dans le dos de cet arrogant personnage. Il fut transpercé de part en part ; puis, d'un mouvement sec et puissant de la tête, la chose le coupa en deux, avant de se ruer sur nous.

CHAPITRE 16

DERNIER SOUFFLE

Un vent de panique se propagea alors dans le laboratoire qui prit des allures de champ de bataille. Les Tsirakis se mirent à tirer dans tous les sens pour tenter de stopper l'avancée de ce monstre destructeur, mais malgré la terrible puissance de feu déployée par les soldats de la Grande Arche, la créature ne cessait de bondir à une vitesse fulgurante défiant l'imagination pour asséner de violents coups de griffes, déchiquetant ici et là les hommes et femmes qui essayaient de prendre la fuite dans une cohue devenue généralisée.

Le laboratoire qui quelques minutes auparavant était si rutilant, grâce à tout cet éclairage artificiel, commençait doucement à être plongé dans une pénombre angoissante, rougi par le sang et le déclenchement des lumières du générateur de sécurité. La créature, dans ses déplacements, semblait volontairement démolir tous les spots ou autres sources lumineuses puissantes se trouvant sur sa route.

J'avais pris Rya, toujours inconsciente, dans mes bras, et je cherchais un lieu pour nous mettre à l'abri du carnage qui se produisait à cet instant sous mes yeux. Il y avait un genre de véhicule de chantier qui se trouvait dans un coin du labo. Je décidai d'installer Rya dans l'habitacle pour qu'elle soit en sécurité, protégée de ce déferlement de violence, et je restai avec elle le temps de réfléchir à un moyen de nous sortir de là.

À cause de la destruction d'une partie du laboratoire, les systèmes de sécurité s'étaient activés et avaient vraisemblablement bloqué les portes et les accès de sortie. Ceci sans doute pour limiter les dégâts si quelque chose de néfaste devait se produire (ce qui était visiblement notre cas), pour ralentir la possibilité que la chose se propage au-delà de la salle d'expérimentation.

Il y avait les invités de cet imbécile de Duncan, toujours pour la plupart encore accompagnés de leurs fidèles serviteurs, qui se précipitaient vers le grand ascenseur avec l'espoir d'y monter pour réussir à fuir.

Ils étaient bloqués !

La bête les avait acculés dans cette voie sans issue, ayant réussi en moins de quelques minutes à terrasser la totalité des hommes de main armés. Elle resta là pendant un moment à les observer, tandis qu'ils grattaient les grandes portes de fer du monte-charge pour tenter désespérément de trouver une sortie de cet enfer.

Puis, dans une charge spectaculaire et un déferlement de colère, elle prit leurs vies sans leur laisser aucune chance de pouvoir échapper à ce tragique dénouement.

Je détournai le regard pour ne pas voir cette scène d'horreur qui se jouait à seulement quelques mètres de moi. Après les cris de peur, puis de souffrance, les armes ayant cessé de hurler, le silence et le calme reprirent possession des lieux. Mis à part le bruit des débris de métal qui se faisait entendre à chaque pas pesant de la créature, qui cherchait à présent le moyen de sortir d'ici elle aussi, on n'entendait plus rien. Sauf quand, de temps à autre, elle découvrait les quelques individus qui avaient essayé de se cacher comme nous, et dont la vie finissait dans un ultime gémissement après un coup de pattes, de griffes ou de crocs.

La créature semblait s'intéresser à une immense grille d'aération dans un coin du labo à l'opposé de notre cachette. Je saisis donc ma chance pour sortir de l'habitacle du véhicule afin de m'approcher de la console de contrôle qui semblait avoir été épargnée.

De là je pourrais peut-être réactionner le système d'ouverture des portes.

J'avançais donc lentement, sans faire de bruit, pour ne pas me faire remarquer ; et arrivé à une dizaine de mètres de la console, je vis quelque chose du coin de l'œil qui cherchait à attirer mon attention.

C'était Archi qui avait trouvé refuge sous une grosse plaque métallique, qui en pliant sous le poids de la créature avait pris la forme triangulaire d'une tente. Lorsque je fus arrivé à ses côtés, il me chuchota à l'oreille.

– Regarde là-haut !

Il pointait son doigt dans la direction d'un grand échafaudage montant jusqu'à atteindre une grille qui devait être une sortie de purification d'air.

Mais en regardant avec plus d'insistance au-delà de la grille, qui aurait pu être notre porte de sortie, on voyait une ombre qui se démarquait à l'intérieur du système d'aération. Je n'en croyais pas mes yeux, c'était le capitaine Martinez !

Comment avait-il réussi à se faufiler jusqu'ici ?

Je n'en avais bien entendu aucune idée, mais le simple fait de le voir me remit du baume au cœur et réussit à insuffler en moi un regain de courage.

Nous échangeâmes quelques signes pour tenter d'élaborer un plan à distance, sans dire un seul mot. Puis, une fois que nous nous fûmes compris, du moins je l'espérais, je saisis délicatement une pièce de métal et la jetai de toutes mes forces à quelques mètres de cette abomination. Elle réagit immédiatement au bruit que produisit l'impact. C'est à ce moment très précis que Martinez réussit à décrocher la grille qui l'empêchait d'accéder à l'échafaudage. Une fois que la créature vit qu'il ne s'agissait que d'un bruit causé par quelque chose qui était tombé, elle retourna continuer à gratter la grande grille d'aération qui l'intéressait. Martinez avait réussi à descendre et à nous rejoindre avec la dextérité et la légèreté d'un félin.

Après m'avoir fait un clin d'œil, il nous chuchota :

– Pour nous sortir d'là, y suffit d'repasser par où j'suis entré. Suivez-moi !

– Attends Martinez, il y a Rya là-bas dans ce véhicule, il faudrait que nous puissions la porter, mais comment faire sans attirer l'attention de ce monstre ?

– Les enfants, il y a un moyen de se débarrasser de cette immonde abomination. Nous avions mis au point un protocole de destruction au cas où ça tournerait mal, mais dans l'affolement général nous n'avons pas réussi à atteindre la borne de sécurité. Il faut que je puisse atteindre le système de contrôle là-bas derrière.

Archi indiquait de son index une station de contrôle beaucoup plus petite que les autres et que je n'avais pas vue auparavant.

— Mais pour que je réussisse à faire ça, il faudrait attirer l'attention de cette chose.

Martinez nous fit comprendre qu'il se chargerait de ce travail, mais je ne pouvais me résoudre à le laisser risquer sa vie seul. Je décidai, et ce malgré sa désapprobation, de lui prêter main-forte.

Martinez nous exposait son plan pendant que je regardais cette monstrueuse brute frapper de toute sa puissance contre cette grille qui la maintenait heureusement encore prisonnière.

Je n'osais imaginer, si elle réussissait à sortir à l'air libre, à quel carnage nous devrions faire face.

— En nous séparant, elle saura pas où donner d'la tête et on pourra la m'ner en bateau pendant quelques instants, c'est là qu'le doc ira préparer sa combine pour lui régler définitivement son compte.

Nous nous séparâmes lentement pour prendre de la distance et ainsi couvrir plus de surface, et, une fois prêts, Martinez lança le coup d'envoi.

— EH TOI ! VIENS UN PEU PAR LÀ L'VILAIN !

L'animal se retourna, bondissant dans la direction de Martinez, et réussit presque à l'atteindre en à peine quelques enjambées. Le capitaine réussit heureusement à l'esquiver.

Archi en profita pour courir vers la console, puis ce fut à mon tour de crier en lançant un objet dans sa direction.

– VIENS ICI MAUDITE CRÉATURE DE L'ENFER !

Elle se rua dans ma direction et, par je ne sais quel miracle, je réussis aussi à esquiver cette attaque.

Martinez cria fortement en frappant le sol avec une barre de fer pour attirer son attention et la faire aller vers lui. Mais visiblement ce n'était pas qu'une simple bête qu'on arrive à duper facilement, et après avoir regardé dans la direction du capitaine, elle fit volte-face et se dirigea à nouveau vers moi lentement, prête à bondir et à me déchiqueter avec ses griffes tranchantes.

Ça y est mon gars, cette fois tu ne reverras définitivement plus jamais la lumière du jour ! Tu vas crever comme tu as vécu dans l'indifférence générale, ici au plus profond des entrailles d'une montagne de Grèce, qui me fera office de tombeau commun avec ce connard de Duncan.

Dans un ronflement sonore, la bête s'approchait de moi en levant sa patte pour définitivement me terrasser.

– NE T'APPROCHE PAS DE LUI !

Une voix venue d'un coin éloigné du laboratoire se fit entendre.

C'était Rya ! Elle était debout sur le toit du véhicule où je l'avais laissée inanimée, le regard noir et rempli de colère qui fixait la créature. Elle leva un bras en avant la main ouverte et lança.

– Viens ici !

Et comme si le monstre ne pouvait se retenir, il se détourna de moi et se dirigeait maintenant vers Rya.

– NON ! REVIENS ICI ! LAISSE-LA, C'EST MOI QUE TU VEUX !

Mais malgré mes cris et les projectiles que nous lui lancions, Martinez et moi, pour tenter de la faire revenir vers nous, cette affreuse et étrange abomination continuait d'avancer avec prudence vers la belle aux cheveux rouge sang. On aurait dit qu'elle était hypnotisée et attirée par une force invisible qui émanait de cette petite femme, si frêle au premier regard, mais qui dégageait une énergie extraordinaire autour d'elle, un peu comme une aura puissante.

– QU'EST-CE QUE TU FAIS RYA ! ARRÊTE !

Mais rien à faire, elle continuait d'attirer la bête à elle. Elle dirigea son regard le temps d'un instant en direction d'Archi, semblant lui dire de se tenir prêt, puis elle continua à faire se rapprocher la monstrueuse chose encore et encore. L'animal, si on peut l'appeler ainsi, se cabra sur ses pattes arrière et poussa un hurlement sourd qui résonna sans nul doute jusqu'au fin fond de la montagne. Deux légers nuages de condensation sortirent de ses narines au moment où son corps lourd retomba sur ses membres antérieurs dans un fracas qui fit trembler toute la base.

Puis, avec une attitude plutôt apaisée, il se rapprocha encore jusqu'à atteindre la main de Rya, qui la posa délicatement sur le haut de sa tête, et tous deux, les yeux fermés, semblèrent entrer dans une sorte de communion. Le sentiment de paix qui les entourait se faisait ressentir dans toute la pièce et, pendant une fraction de seconde, on eût cru que tout était désormais terminé. Plus de violence, plus de drame, seulement la sérénité de cet instant suspendu dans le temps.

Brusquement ils ouvrirent les yeux en même temps, se regardèrent à peine deux secondes, puis Rya hurla :

– MAINTENANT ARCHI !

Et elle se jeta sur la créature, qui essaya d'éviter l'étreinte de la jeune femme, l'enlaçant le plus fortement possible.

Presque simultanément, Archi actionna le système de sécurité et produisit une détonation assourdissante qui nous fit fléchir les genoux à moi et au capitaine tellement le choc fut soudain.

Puis une seconde déflagration se fit entendre, créant une onde de choc encore plus violente que la précédente, nous faisant définitivement tomber en arrière, surpris et sonnés par cette énergie foudroyante qui fit voler en éclat l'arbre qui trônait au centre du laboratoire. Cette explosion titanesque avait fait naître un rayonnement lumineux d'une rare intensité qui nous avait aveuglés.

Il nous fallut donc quelques instants pour recouvrir totalement le sens de la vue. Ceci pour voir, couchés au sol à une vingtaine de mètres de nous, les corps immobiles de Rya et de la créature.

Je me trainais de mon mieux vers elles, malgré mes oreilles sifflantes qui ne me laissaient qu'à peine entendre des sons sourds, et le vertige que mon corps ressentait toujours après avoir encaissé une telle débauche de puissance.

La créature avait rendu son dernier souffle et gisait morte à quelques centimètres de Rya. Je la saisis et la serrai fort contre moi avec l'espoir de voir ses magnifiques yeux de miel me regarder encore une fois.

Mais rien. Elle ne respirait plus et je n'arrivais pas à trouver son pouls.

Après plusieurs minutes, malgré mes cris, mes larmes et tous les efforts fournis par Archi et moi-même pour essayer de la réanimer, il fallut nous faire une raison, bien que cela fut impossible à admettre.

Rya était morte.

CHAPITRE 17

RAYON VERT

Elle avait sacrifié sa vie pour que nous puissions vivre.

J'étais dans un état de tristesse et de détresse absolues, ne sachant où chercher le soutien nécessaire pour ne pas m'effondrer et me laisser mourir lentement à ses côtés. Pourquoi cela devait-il finir ainsi ?

Archi me serrait dans ses bras, lui aussi l'air totalement abattu et le visage plein de larmes. À quelques mètres de nous, Martinez également faisait pâle figure et portait le masque noir du deuil.

Qu'est c'que j'allais devenir à présent ? Comment pouvais-je continuer de vivre et avancer sans cette unique et fantastique femme, qui avait été capable de chambouler et d'apporter finalement un sens à ma vie ? Jusqu'ici elle m'avait justement apporté l'impulsion nécessaire pour enfin pouvoir m'orienter la tête droite vers un futur, certes incertain, mais où l'espoir avait finalement sa place. C'était le cadeau de Rya, le cadeau qu'elle avait offert à un parfait inconnu. Le choix d'une vie uniquement guidée par mes propres désirs et mon seul ressenti.

Cette possibilité s'ouvrait face à moi dès à présent, mais sans le soutien et l'amour de Rya pour m'accompagner je doutais d'en être capable.

Soudainement, Archi me prit par les épaules et plongea son regard dans le mien avec des yeux ronds d'étonnement qui me firent penser au grand scientifique grec Archimède sur le point de crier sa célèbre exclamation, « Eurêka » !

– Ce n'est pas possible qu'elle soit totalement morte ! Elle n'est pas née de cet arbre, à contrario de cette abominable créature. À moins que son arbre aussi soit mort à cause de notre expérience complètement folle, qui a causé la perte de ce fou de Sir Duncan, des Iliakos dont les corps gisent ici et de notre merveilleuse Rya…

J'avais peur de mal comprendre, était-il possible que Rya soit encore en vie ?

Pourtant on ne distinguait aucun signe vital que montrerait un être vivant normal, mais il est vrai que Rya n'était pas tout à fait une femme ordinaire !

– Qu'est-ce que tu proposes Archi ? Que devons-nous faire ?

– Il faudrait tout d'abord sortir d'ici et ensuite trouver le moyen pour nous rendre où tout a commencé, sur l'île de Dagonada.

Le capitaine Martinez se leva brusquement.

– J'sais exactement comment sortir d'ici, on aura amplement la place pour passer par le conduit d'aération par où j'suis arrivé. Mais l'plus compliqué, ça va être de faire grimper la p'tite dame là-haut !

Il nous désignait la bouche d'aération d'où nous l'avions vu débarquer, au sommet de l'échafaudage qui avait résisté à la vague de chaos qui s'était abattue sur l'ensemble du laboratoire.

Archi avait une idée :

– Il y a suffisamment de matériel dans ce labo pour construire un brancard et, avec tout ce câblage, nous pourrions la hisser jusqu'en haut, qu'en pensez-vous ?

Le petit capitaine reprit :

– J'en dis qu'c'est une bien fameuse idée, doc ! Avec quelques bons nœuds coulissants de marin, la p'tite sera là-haut en moins d'temps qu'il ne faut pour le dire.

La motivation et l'attitude positive de Martinez avaient l'air de ravir Archi, qui tendit sa main en direction du capitaine.

– Nous n'avons pas eu le temps d'être présentés, je suis le professeur Archimède Evar…

Il marqua un temps, puis finit par reprendre :

– Je m'appelle Archi. Et vous, quel est votre nom cher monsieur ?

– Je me nomme Eusebio Elvis Martinez, mais vous pouvez m'appeler capitaine ! dit-il avec un petit sourire et un clin d'œil pour ponctuer sa plaisanterie qui, dans un instant aussi tragique, je dois bien l'admettre, apportait un peu de légèreté et de gaité, ce qui nous fit le plus grand bien.

– Eh bien je suis ravi de faire votre connaissance, capitaine ! Mais pourriez-vous me dire pourquoi on vous appelle capitaine ? demanda Archi.

– Eh ben ça, doc, c'est la réponse à votre moyen de transport pour vous rendre sur l'île de la jeune et jolie p'tite dame. Je suis le capitaine du légendaire *Volubilis*, fraichement rebaptisé le *Volubilis Fynigann*.

Après avoir construit un brancard de fortune et y avoir installé Rya, nous l'avons hissée jusqu'à la bouche d'aération. Nous empruntions un tunnel qui serpentait à travers les entrailles de la base où régnait une chaleur qu'on pourrait décrire comme insoutenable et irrespirable. Nous pouvions tout juste nous tenir accroupis dans ce tube métallique qui était plongé dans le noir. Puis, après avoir fourni de sacrés efforts pour réussir à tirer et pousser Rya sur son lit de fortune, et ce sur une très longue distance remplie de virages et de dénivelés, nous arrivâmes à l'embouchure de ce tuyau de malheur, trempés de sueur.

À peine étions-nous sortis de cet enfer, éblouis par la puissance d'un soleil de midi qui frappait les rochers environnants, que nous ressentions l'air marin qui venait nous rafraichir et nous insuffler un nouvel espoir. Après que nos yeux se furent accoutumés à la lumière, nous pûmes enfin voir le splendide paysage qui s'étalait devant nos yeux ébahis. Nous étions ressortis dans une crique aux parois rocheuses rougeoyantes, jaunâtres et ocre, où seules quelques chèvres à moitié sauvages osaient visiblement s'aventurer. Cela apportait un ravissant contraste avec les différentes teintes azur du panorama, allant du turquoise très clair près de la plage au bleu foncé des profondeurs du grand large. Sur le sable, une petite barque à rames chahutée par le va-et-vient des vagues était prête à nous embarquer pour rejoindre le large où, mouillant à l'entrée du lagon, le *Volubilis Fynigann* nous attendait.

– Soyez les bienv'nus à Seitan Limania Beach ! dit le capitaine Martinez, avec un large sourire jusqu'aux oreilles.

– Comment est-ce possible, capitaine ?

– Quand j'suis r'monté, sur l'toit d'l'ascenseur, j'ai immédiatement repris votre jolie Mustang pour rejoindre le village d'en bas d'la montagne.

Archi eut une expression de surprise.

– Mon bébé ? Vous l'avez apporté jusqu'ici ?

Je lui répondis positivement d'un signe de tête.

– Bien sûr, les villageois connaissaient l'existence de cette infrastructure au sommet d'leur montagne, et à force de discuter ils m'ont très vite indiqué qu'il existait un autre moyen d'entrer par ici. Ensuite j'suis retourné à Chania, j'ai rembarqué le p'tit bolide à bord et j'suis v'nu jusqu'ici à toute bastringue pour vous récupérer, toi et la p'tite dame, mais j'ignorais que j'aurais l'immense honneur d'pouvoir accueillir, à bord d'mon humble navire, un aussi grand amateur d'belles voitures, dit-il en direction d'Archi, qui était ravi d'entendre ce petit bonhomme le flatter de la sorte en lui apprenant que sa précieuse voiture l'attendait à bord.

Nous installâmes Rya dans la barque en bois et, après quelques vigoureux coups de rames, nous étions à bord du bateau qui flottait sagement sur cette mer calme dans ce cadre paradisiaque.

Rya avait été placée dans l'une des cabines, avec la couchette la plus confortable.

J'interrogeai Martinez à propos d'un sac qu'il avait emporté depuis la base de la montagne, mais il restait assez vague sur son contenu, se contentant de me faire un large sourire en guise de réponse. On a toujours besoin d'un peu de matériel à bord d'un navire, disait-il.

Nous étions partis en mettant le cap vers l'est, car selon Archi, c'était la voie la plus directe à suivre pour pouvoir atteindre l'île de Dagonada, qui se trouvait carrément à l'opposé du port de Chania, le plus rapidement possible.

C'était curieux car plus le temps passait, plus j'étais sûr que le doc, comme le capitaine Martinez s'amusait à appeler Archi, avait raison sur le fait que Rya ne pouvait pas être réellement morte ! En effet, malgré les heures qui avaient défilé depuis ce tragique événement, même si elle ne respirait plus et que son cœur restait silencieux, son corps lui, de façon complètement inexplicable, continuait à rester miraculeusement chaud.

Il nous fallut tout le reste de la journée pour atteindre l'autre extrémité de la Crète, vers la pointe est de la grande île.

Le soleil nous offrait ses plus belles couleurs, romantiques et chatoyantes, lorsque nous commencions à apercevoir les rivages de l'île de Rya. Après avoir suivi sur quelques kilomètres les grandes falaises escarpées qui rendaient tout débarquement impossible et où les vagues venaient se briser sans doute depuis des temps immémoriaux, nous avions enfin fini par trouver la plage, qui selon Archi était restée la même que dans ses souvenirs. C'était une crique parfaite pour jeter l'encre et faire mouiller le *Volubilis Fynigann*. Les dernières lumières du soleil disparaissaient à l'horizon, je regardais cette image magique quand soudain, je le vis !

Le fameux rayon vert. Cet ultime rayon, juste avant que le soleil ne disparaisse pour laisser place à l'obscurité, bien souvent décrit dans certaines histoires. Mais ce soir, sous mes yeux émerveillés, j'avais vraiment la confirmation qu'il ne s'agissait pas d'une légende mais bien d'un spectacle rare auquel j'avais la chance d'assister, encore une fois grâce à Rya.

Nous abordâmes la plage en ce début de soirée, tout était calme. Seuls les chants d'oiseaux allant chercher refuge pour passer la nuit dans quelques grands arbres qui se profilaient à flanc de colline se faisaient entendre. Nous portions à bout de bras Rya sur son brancard pendant qu'Archi ouvrait la marche pour nous montrer le bon itinéraire à suivre afin d'accéder le plus facilement à ce fameux arbre. Nous suivions un ancien chemin qui, à première vue, n'avait pas l'air d'avoir été fréquenté depuis plusieurs années et où la nature semblait avoir repris possession des lieux.

Après une ascension d'un peu moins d'une heure, en raison du brancard plutôt encombrant et des branches qui traversaient de façon improbable le sentier, nous arrivâmes finalement face à un splendide mûrier de belle taille et proportionné de manière parfaitement harmonieuse.

Il n'avait rien à voir avec son clone maléfique d'où nous avions vu surgir cette apparition d'horreur qui avait anéanti, à elle seule, la base de la Grande Arche. Ses branches étaient longues et formaient de larges frondaisons qui paraissaient offrir comme un abri pour celui qui viendrait s'y réfugier.

Son tronc noueux, recouvert d'une écorce dure et craquelée, avait dû mettre de longues années pour acquérir une telle allure majestueuse.

Le tout était soutenu par de puissantes racines ancrées profondément dans ce sol couvert de mousse humide et délicate, où l'on aurait aimé s'allonger avec le rêve fou que le temps s'arrête pour pouvoir apprécier chaque bruit et mouvement de la nature.

C'était inexplicable mais il régnait ici une paix comparable à celle que l'on aurait pu trouver dans certains lieux saints.

– J'étais sûr que son arbre était toujours vivant, c'est une très bonne nouvelle. Il faut que nous la mettions là, assise contre le tronc, aidez-moi !

Nous installâmes donc Rya contre ce magnifique arbre, à l'endroit où elle était née et qu'elle rêvait, depuis maintenant presque dix ans, de revoir un jour.

La lune commençait à apparaître au-dessus de la cime des arbres qui se trouvaient plus bas dans la vallée et rien ne semblait pouvoir briser le calme qui régnait en ce lieu.

C'est à ce moment précis que des bruits de craquement dans les fourrés tout autour de nous se firent entendre.

Nous n'étions vraisemblablement pas seuls.

CHAPITRE 18

LA BELLE ET LA BÊTE

Effectivement, après avoir entendu ces bruits de craquement de branches et de pas piétinant les feuilles mortes qui jonchaient le sol rocailleux de cette colline, nous pouvions commencer à entrevoir des canons de fusil pointés dans notre direction.

Nous avions été pris par surprise, sans aucun moyen de nous échapper, encerclés par toute une escouade, et d'après leurs accoutrements, il devait s'agir de Tsirakis. Comment nous avaient-ils retrouvés ?

Sans doute, n'ayant pas reçu de nouvelles de la base de Chordaki, avaient-ils envoyé des agents pour essayer de comprendre ce qui avait bien pu se produire là-bas.

Mais comment avaient-ils su que nous allions venir ici précisément ?

Je levai les bras en l'air, Archi et le capitaine m'imitèrent.

Une femme aux cheveux châtain clair, portant une paire de lunettes sur un visage fin, le teint hâlé, vêtue de rouge et visiblement pas habillée avec des habits de circonstance, vu les talons hauts qu'elle portait, s'avançait et tentait de se frayer un chemin entre les mitraillettes.

– Vous voilà enfin ! Ça fait déjà plusieurs heures que nous vous attendons ! Il fait froid, j'aurais dû prendre une petite laine.

L'un des Tsirakis s'avança et lui mit sa veste sur les épaules. Elle regarda cette jaquette avec une expression de dégoût et fit un sourire coincé et totalement forcé en direction de son propriétaire.

– Nous avons été mandatés, moi et cette bande de trompe-la-mort, pour venir vous chercher, vous professeur Nevanlinna et cette pauvre petite chose.

Elle regardait Rya allongée au pied de l'arbre avec un air de pitié qui me fit me mettre en colère.

– Il faudra d'abord me passer sur le corps !

La femme me regardait en me toisant des pieds à la tête, puis, s'approchant de moi, elle vint poser ses mains sur mon visage avec un regard de tigresse.

C'est à ce moment-là que je remarquai le symbole lunaire des Iliakos tatoué sur l'intérieur de son poignet.

– Pas le temps pour ça mon joli petit Ange, dommage, tu le mériterais bien pourtant.

Elle avait utilisé mon prénom et je me rendis compte qu'aujourd'hui encore, comme dans mon enfance, il me dérangeait toujours autant. Elle me poussa en arrière en me faisant un croche-patte, ce qui me fit basculer puis tomber comme un vulgaire pantin.

– Pas de temps à perdre, emparez-vous de ce vieux savant fou et de la belle au bois dormant et allons-nous-en !

– Et qu'est c'qu'on fait de ces deux-là, madame ?

Elle se tourna brusquement vers celui qui avait eu l'audace de lui adresser la parole en lui répondant d'une manière méprisante :

– Je n'ai pas le temps de me soucier de ces détails, le petit bonhomme poilu ne sera pas une perte, et quant à l'autre, dommage, j'aurais bien eu envie de jouer un peu avec, mais le temps nous est compté. Faites ce que vous avez à faire, c'est votre boulot pas le mien. Mais s'il vous plait, faites ça plus loin, j'ai horreur de la violence et la vue du sang me répugne.

Deux des Tsirakis prirent Archi par les bras en le tirant pendant que d'autres nous encerclaient, moi et le capitaine, pour nous pousser plus loin, dans la direction de grands buissons à une dizaine de mètres d'où nous étions, afin de pouvoir camoufler les méfaits qu'ils s'apprêtaient à commettre.

Pendant ce temps, les trois derniers hommes de main s'approchaient de Rya. Je ne pouvais me résoudre à les laisser faire, alors je pris mon élan et tentai de forcer le passage pour m'approcher d'elle. Ce ne fut pas faute d'essayer, mais deux des Tsirakis m'attrapèrent et me plaquèrent au sol. Je ne pouvais qu'assister, sans rien pouvoir faire car je n'étais désormais plus maître de mes mouvements, à la triste scène de ces trois hommes qui allaient enlever Rya, inconsciente et sans défense, pour l'emmener loin de moi.

C'est à cet instant, au moment où l'un des gorilles toucha Rya, qu'il fut projeté dans les airs pour atterrir une vingtaine de mètres plus loin, hors de notre vue. Soudain, nous pouvions voir une lumière semblant émaner de la souche de l'arbre, ressemblant à une aura protectrice, qui se déployait tout autour d'elle. Puis Rya, toujours inconsciente, commença lentement à s'enfoncer dans le tronc comme si elle fusionnait avec l'arbre, pour finalement disparaître totalement, laissant l'assistance bouche bée.

Nous nous débattions, Archi, Martinez et moi, pour profiter de ce moment de confusion, tentant de nous défaire de nos entraves. Tout à coup, il y eut comme une onde de choc phénoménale venant du mûrier, qui fit tomber tout le monde à la renverse et se diffusa dans les bois alentour. Le temps que chacun reprenne ses esprits, quelques secondes s'écoulèrent.

Tout autour de nous, un bruit commençait à se faire entendre, de plus en plus fort, comme si tout un tas de choses approchaient à vive allure pour finalement débouler hors de l'obscurité. C'étaient des animaux de toutes sortes et de toutes tailles qui sortaient des fourrés, venant frapper et même emporter les mercenaires, les uns après les autres. Bien sûr, certains essayaient de tirer un peu au hasard dans toutes les directions, c'est pour cela que nous étions restés couchés au sol, les mains sur la tête, attendant que toute cette panique prenne fin.

Il y avait de grands cerfs qui, armés de leurs bois impressionnants, emportaient dans leur lancée tous ceux qui se trouvaient sur leur passage.

Des myriades d'oiseaux de toutes espèces qui fondaient sur nos agresseurs, leur assénant de grands coups de bec pour les plus petits et de griffes pour d'autres bien plus gros.

Il y avait même plusieurs renards et autres petits mammifères qui se jetaient à l'assaut pour donner des coups de crocs et tirer dans les buissons les quelques misérables qui s'étaient allongés par terre, sans doute aveuglés par de puissantes serres d'aigles.

Peu à peu, il ne resta plus que des armes au sol, leurs propriétaires s'étaient évaporés; et lentement, une fois les derniers cris distants devenus muets, le silence se fit à nouveau. Tous les animaux avaient disparu.

La nature avait quant à elle retrouvé son calme et tout avait repris sa place. Nous nous relevâmes tous les trois en nous apercevant que nous n'avions même pas une seule égratignure et que la colère des animaux avait été dirigée uniquement sur nos assaillants.

Je me tournai vers Archi.

– Qu'est-ce qu'il s'est passé ? C'était quoi ça ?

Il eut un léger rictus.

– C'étaient les soi-disant pouvoirs de Rya qui n'existent pas ! C'était extraordinaire et je pense que…

Derrière nous, un bruit d'armement se fit entendre.

– Et je pense que mes chers collaborateurs seront ravis d'apprendre que nos investissements n'auront pas été infructueux et que notre belle au bois dormant pourrait finalement être plus qu'une simple petite chose frêle et sans intérêt.

C'était la femme Iliakos vêtue de rouge qui nous braquait de son fusil mitrailleur qu'elle avait ramassé par terre.

— Maintenant je vous ordonne de faire immédiatement sortir cette petite pimbêche de ce misérable tas de bois, avant que j'aie la désagréable obligation de vous trouer de part en part ; ce serait fort fâcheux, car comme je l'ai déjà dit, je trouve l'abus de violence d'une vulgarité sans nom.

Plongée dans sa rhétorique, elle ne s'était pas aperçue que derrière elle, quelque chose sortait de la pénombre du bois, et approchait silencieusement en laissant doucement apparaître sa silhouette. Ce ne fut que quand la chose n'était plus qu'à quelques centimètres qu'elle dut sentir sa présence et que nous pûmes finalement voir de quoi il s'agissait. La femme se retourna brusquement et aperçut un ours gigantesque levé sur ses membres arrière qui, d'un coup de patte rapide, lui fit lâcher son arme, et dans un hurlement de terreur, nous vîmes disparaître dans le fond de la forêt la belle et la bête.

L'arbre avait cessé de scintiller, et à présent, les feuilles du mûrier commençaient à tomber comme si l'automne était arrivé en quelques secondes. Nous ne pouvions rien faire contre ce déluge, et en un rien de temps, l'arbre avait perdu tout son feuillage ainsi que toute sa grâce. On aurait dit désormais qu'il était complètement sec, comme s'il ne lui restait plus une seule goutte de sève pour l'aider à surmonter cette épreuve. Archi restait là sans rien dire, subissant de plein fouet, comme nous tous, ce spectacle de décadence face auquel nous étions totalement impuissants. Des larmes coulèrent sur nos joues à tous les trois, car malgré le fait que nous n'étions pas tous des experts en botanique, nous avions bien compris que c'en était définitivement fini de ce splendide arbre, et par conséquent, sans doute, ne reverrions-nous jamais les beaux yeux couleur de l'automne et la chevelure de feu d'Amadrya, mon amour à tout jamais perdu.

Après être restés là, auprès de cet arbre qui avait perdu toute sa magnificence, jusqu'à une heure avancée de la nuit, nous décidâmes de redescendre la colline pour nous rendre à bord du *Volubilis Fynigann* qui nous attendait à quelques coups de rames de la plage et qui nous dévoilait sa silhouette, seulement éclairée par la lueur de la lune qui était maintenant haute dans le ciel d'un noir de suie.

Archi et le capitaine, après avoir fumé quelques cigarettes sans dire grand-chose, allèrent se coucher, chacun rejoignant sa couchette respective. Je ne pouvais trouver le sommeil et restai là sur le pont du navire à regarder tantôt la lune, tantôt l'île dont j'arrivais tout juste à apercevoir le rivage.

Puis, sans vraiment trop savoir pourquoi, mais sans doute poussé par mon inconsolable tristesse, je pris la petite embarcation pour me rendre à nouveau seul sur l'île qui m'avait enlevé mon grand amour.

Je pagayais avec peu d'entrain, mais bien assez pour finalement atteindre la plage, et après avoir erré sur le sable, pendant un temps que je ne pourrais définir, je me décidai à remonter la colline. La montée fut pénible. Non pas en raison de l'effort fourni, mais plutôt parce que je savais que rien, à part un vieil arbre desséché, ne m'attendait là-haut.

J'arrivai au sommet quand la lune avait atteint son point culminant dans les cieux de cette nuit étincelante de milliards d'étoiles.

Je m'assis où nous avions laissé et vu Rya pour la toute dernière fois. De là, je voyais la lune.

Elle me paraissait plus grosse que jamais.

Je me souvenais d'une discussion que nous avions eue Rya et moi quand nous étions à bord du *Volubilis*, qui ne portait pas encore le nom de notre cher ami disparu Fynigann, alors que nous nous rendions en Crète.

Elle m'avait dit qu'elle voyait la lune depuis le lieu où elle était née et qu'elle espérait un jour pouvoir la revoir depuis cet endroit où je me trouvais actuellement. Mais malheureusement, Rya n'était pas là. J'aurais tellement voulu que nous puissions voir l'astre lunaire ensemble. Des larmes coulèrent de mes yeux rougis.

Inconsciemment, je me retournai pour m'appuyer sur le tronc de l'arbre sec et, comme instinctivement, je l'embrassai, le corps parcouru de sanglots, comme si je voulais offrir un dernier baiser à ma belle.

Quelques larmes vinrent effleurer l'écorce du mûrier, et c'est en baissant la tête que je remarquai que là, entre deux racines de l'arbre, il y avait une jeune pousse qui grandissait, n'exhibant que deux minuscules feuilles.

L'arbre n'était donc pas tout à fait mort.

J'appelai de toutes mes forces, à m'en casser la voix :

– RYYYYYYAAAAAA !

L'arbre se mit à trembler.

Peu à peu une lueur se mit à briller autour de l'arbre, comme si une énergie s'en échappait et enflait de plus en plus. Je vis lentement éclore de microscopiques bourgeons au bout des branches qui quelques minutes auparavant paraissaient complètement sèches et sans la moindre trace de vie. Après ça, les bourgeons s'ouvrirent et je pus voir de magnifiques feuilles venir à nouveau épaissir les branchages de cet arbre qui avait bientôt retrouvé sa force et sa splendeur.

J'avais devant moi l'arbre de Rya, encore plus beau que quand je l'avais vu pour la première fois. J'avais presque l'impression d'avoir remonté le temps. Puis, dans une vision que je ne pourrais décrire, je vis tout doucement apparaître une main, un bras puis une jambe, et enfin Rya tout entière qui se trouvait face à moi, le visage resplendissant de bonheur et semblant emplie d'une énergie nouvelle et positive. Elle était plus belle que jamais. Je sais qu'à chaque fois qu'elle apparaissait devant moi, elle me faisait cet effet, mais cette fois-ci, elle l'était vraiment.

Je la pris dans mes bras et elle me serra de toutes ses forces. Nous nous étions enfin retrouvés.

– Je t'aime, Rya !

Et elle me dit en plongeant son regard au plus profond du mien :

— Je t'aime aussi Ez, ou devrais-je plutôt dire Ange, car tu es définitivement mon ange gardien.

Et nous nous embrassâmes avec la passion de jeunes amants à nouveau réunis et plus jamais séparés. Ce fut réellement la première fois de toute ma vie que mon prénom prit tout son sens.

Sous cette lune que Rya voulait absolument revoir depuis cet endroit précis, là où elle avait vu le jour, et qui cette nuit-là ne brillait que pour nous.

CHAPITRE 19

SOMBRE ET AMER

Nous avions passé la nuit à nous aimer ici, au pied de cet arbre de vie. Au petit matin, les rayons du soleil vinrent réchauffer nos visages, heureux de ressentir ses caresses. À l'instant même où mes paupières s'ouvrirent, je découvris un paysage spectaculaire s'étalant à perte de vue. Mon premier réflexe fut de regarder autour de moi pour vérifier si Rya était bien là et que tout ceci n'avait pas été un rêve.

J'effleurai ses joues de mes lèvres en essayant de ne pas la réveiller. Ses cheveux en bataille sur la mousse qui s'étalait au pied de ce tronc impressionnant de grandeur ressemblaient à une coulée de lave sur une montagne verdoyante et fertile.

Elle était la seule et unique personne sur cette terre à avoir eu le pouvoir de me faire ressentir autant de sentiments différents en aussi peu de temps.

Passant tantôt d'une joie extrême à une sensation de tristesse intense ou alors d'un ressenti tellement angoissant et empli de stress pour finir par atteindre une extase de plaisirs incomparables avec tout ce que j'avais pu connaitre jusqu'alors.

Elle finit par ouvrir ses beaux yeux.

Ses bras m'avaient enlacé durant toute la nuit mais la force de son éteinte se fit encore plus insistante au moment où elle aussi émergeait de cette nuit de retrouvailles, en s'apercevant que ce n'était pas un songe mais que nous étions bien là, tous les deux réunis et hors de danger.

Nous descendîmes la pente menant à la plage pour aller rejoindre nos compagnons qui étaient restés sur le bateau que l'on voyait au loin danser sur les remous de la mer dans des mouvements lancinants, comme bercé par les vagues.

En nous éloignant de la plage à bord de la minuscule embarcation en bois, je mis du temps à remarquer, sûrement trop occupé à ramer, que Rya observait la plage, et c'était comme si elle lui souriait.

À peine m'étais-je retourné pour regarder ce qui pouvait bien la faire sourire de la sorte que je fus saisi par le spectacle ahurissant qui se jouait derrière nous, sur les berges de l'île.

Là, agglutinés, ne laissant quasiment plus d'espace pour entrevoir le sable, des centaines de variétés d'animaux regardaient dans notre direction, un peu comme s'ils s'étaient tous réunis pour faire un dernier adieu à Amadrya, nymphe de l'île de Dragonada et déesse parmi les hommes. C'était indescriptible d'émotion.

Elle leur faisait signe de la main tout en prenant soin de promettre, intérieurement, de revenir un jour.

Quelle ne fut pas la surprise pour Archi et le capitaine Martinez de me voir embarquer sur le *Volubilis Fynigann* accompagné de Rya, qu'ils avaient définitivement crue perdue, et de la découvrir rayonnante et surtout en vie.

Après de longues et joyeuses retrouvailles, nous nous préparâmes à prendre la mer afin de nous rendre dans quelque port sur la côte de la grande île de Crète, pour prendre un bon festin et fêter cette joie retrouvée.

Nous accostâmes une heure plus tard dans le port de Sitía où nous pouvions enfin, et sans crainte de courir le moindre danger, nous prélasser sur une terrasse ensoleillée pour nous délecter de douceurs et des meilleurs mets que pouvait nous offrir cette île.

La journée avait passé très vite, et après avoir bien profité de notre escale, nous retournâmes sur notre bateau, pour y déguster quelques fruits de mer fraichement pêchés et achetés sur le port, afin de terminer cette journée en beauté.

Martinez fit flamber quelques langoustes avec la fameuse liqueur de mademoiselle Marie-May, qui sur le *Volubilis Fynigann* coulait en abondance, ainsi que de belles tranches de thon grillé à point sur une grille rougie par les braises.

Nous aurions voulu que ces moments ne cessent jamais car tout était parfait, et chacun de ces instants devait rester gravé en nous pour toujours. Et cela même quand Archi et le capitaine s'essayèrent à entonner quelques chansons aux mélodies hasardeuses et improvisées.

Nous allâmes finalement tous nous coucher l'estomac bien plein, la tête ivre et pleine de souvenirs et surtout le cœur rempli, avec la sensation que nous formions dès à présent une nouvelle famille.

Nous étions allongés, Rya et moi, prêts à profiter de cette nuit qui allait être, elle aussi, à nous, de même que la suivante et ainsi que toutes les autres qui suivraient, pour toujours.

J'étais dans un couloir aux murs froids et gris d'où suintaient de drôles de gouttes d'eau sale de couleur sombre.

Où est-ce que tu t'es encore fourré, pauvre idiot ? Je me demande où peuvent bien se trouver Rya, le capitaine et Archi ? Peut-être que si je continue par-là, je finirai par les retrouver ?

Je marchais dans ce dédale de couloirs, qui souvent se séparaient en deux et même parfois en trois autres chemins, sans jamais vraiment savoir lequel je devais emprunter. À gauche ? À droite ? En suivant mon instinct, j'étais sûr que j'allais finir par retrouver ma route.

Après un temps qui me sembla durer une éternité, je décidai de m'assoir quelques instants pour analyser la situation. C'était vraiment étrange mais depuis que j'étais arrivé ici je n'avais croisé personne, et il fallait bien dire que, où que j'aille, tout me paraissait identique.

Je me remis en marche.

Après avoir pris deux fois à droite, j'entendis quelque chose approcher, sans vraiment arriver à distinguer de quel côté ces bruits semblaient venir.

J'accélérai le pas et les bruits parurent se rapprocher. Cela devait vraisemblablement dire que ces bruits venaient de l'avant. Je continuai donc de filer tout droit.

Les bruits étaient de plus en plus forts et de plus en plus distincts. Le son paraissait provenir d'une course lourde, ce qui ne me rassurait pas le moins du monde.

Je décidai donc de ralentir mon avancée, pour voir si les bruits venaient toujours dans ma direction. Et effectivement, à peine m'étais-je arrêté que je voyais arriver face à moi une apparition cauchemardesque.

C'était la créature de l'arbre cloné qui fonçait droit sur moi, encore plus grande et plus difforme que dans mes souvenirs. Et ce n'était pas tout !

Sur cet abominable monstre tout droit sorti des enfers, il y avait, chevauchant comme sur un cheval devenu fou, le tronc démembré de Sir Edward Duncan, riant comme un malade sorti d'un asile d'aliénés. Je tentai de prendre la fuite à grandes enjambées, sans semble-t-il avoir la moindre chance d'y parvenir car chacun de ses pas en valait dix des miens, et pour finir, malgré mes efforts acharnés pour lui échapper, je fus happé par la mâchoire de ce monstre et...

Je me réveillai en sursaut !

Je regardai autour de moi pour voir si aucune créature ne rodait dans les parages, le visage et le corps recouvert de transpiration.

Pfffff, quel cauchemar !

On aurait dit que tout cela était tellement réel…

Titititititit !

Trois heures moins dix, et voilà le réveil qui se met à sonner !

Qu'est-ce que ça veut dire ?

Je prends le temps de retrouver mes esprits et après m'être vigoureusement frotté les yeux, je n'arrive toujours pas à y croire ! Je suis dans mon appartement !

Le paquet de cigarettes sur la table de chevet m'attend comme tous les matins. La même araignée qui pend à sa toile, les meubles et tous les accessoires sont à leur place, rien n'a bougé.

Je me lève pour regarder par la fenêtre.

Dehors, les rues sont noyées par le brouillard d'une froide nuit d'automne. Une voiture passe au loin, laissant entrevoir deux traits de lumière qui disparaissent au coin de la rue qui m'est si familière.

Je suis donc de retour ! Tout ceci n'a été qu'un rêve ? Impossible ! Je regarde les moindres parties de mon corps pour voir si je n'ai pas une blessure ou une trace qui pourrait me prouver le contraire. Mais rien ! Pas la moindre égratignure, pas une seule trace ! Je m'assois sur le canapé pour prendre le temps de comprendre comment cela peut être possible. Ai-je rêvé toute cette histoire ?

Archi, le capitaine Martinez, Sir Duncan, les périples en mer, la mort de Fynigann, toutes les rencontres avec ces animaux, ce vieux dégueulasse de Poniria, les Tsirakis, les Iliakos et surtout... Rya !

Je ne peux pas me résoudre à croire que tout ceci n'a été que le fruit de mon imagination !

Puis mon esprit reprend le dessus.

Bien sûr que tu as rêvé, pauvre tâche ! Tu crois sérieusement qu'un imbécile comme toi aurait pu survivre, ne serait-ce qu'au dixième de ce qui t'est arrivé lors de cette histoire ? Je me disais bien qu'une femme aussi extraordinaire ne pouvait pas exister, et si ça avait été le cas, tu penses vraiment qu'elle se serait intéressée à un loser dans ton genre, tout juste bon à rêver qu'il peut être le héros d'une pareille aventure ?

J'allume la machine et comme tous les jours je me fais couler un café, ma tête tremblant au rythme des vibrations de l'appareil.

Tu n'as même pas racheté de sucre, pauvre débile !

Je suis donc condamné à devoir boire mon café sombre et amer. Exactement comme le sentiment que je ressens, alors que cette journée ne fait que commencer. Sombre et amer !

Après m'être habillé avec les mêmes habits que la veille, je me regarde dans le même miroir avec une impression de dégoût à l'instant où j'entrevois mon visage, semble-t-il, encore plus vieilli qu'hier.

Je remets les mêmes chaussures usées, reprends mes clés sur le buffet, posées au même endroit que d'habitude, et m'apprête à sortir pour retrouver ma ville, mon travail et ma vie aussi insignifiante que répétitive, comme elle l'a toujours été.

J'ouvre donc la porte d'entrée pour pénétrer dans le hall de l'immeuble et reprendre le même itinéraire qu'à l'accoutumée.

Mais au lieu de l'habituel couloir sombre qui s'ouvre depuis des années devant moi, je peux apercevoir une grande plaine sauvage qui s'étend à perte de vue, et au centre de ce décor de nature luxuriante, une rivière qui arrive jusqu'à ma porte d'entrée.

J'ai subitement les jambes immergées.

Le courant si puissant de cette rivière me fait reculer et retourner dans mon appartement en m'obligeant à grimper sur la table à manger pour ne pas avoir de l'eau jusqu'à la taille. Je ne comprends absolument pas ce qui est en train de se produire sous mes yeux, l'eau continue de pénétrer chez moi et très vite finit par atteindre la moitié de la pièce.

Je tente tant bien que mal de faire tout mon possible pour ne pas tomber à cause des remous que crée l'arrivée massive de toute cette eau en me tenant au plafond. Mais inexorablement l'eau monte, et monte encore, jusqu'à arriver à mon menton.

J'essaye difficilement de garder la tête hors de l'eau, mais bientôt je suis obligé de prendre une dernière bouffée d'oxygène avant de plonger. Puis, une fois totalement submergé par la montée de la rivière, le calme se fait.

Je me sens comme en apesanteur dans ces eaux, regardant de gauche à droite pour tenter de trouver une échappatoire.

Quand tout à coup, comme apparue de nulle part, j'aperçois arrivant dans ma direction une femme nageant à toute vitesse, avec l'aisance d'un animal marin. Je commence à ne plus avoir assez d'air et mes poumons me lâchent. La jeune femme s'immobilise face à moi.

Elle est très gracieuse avec des cheveux bleutés tombant sur ses yeux en amande, laissant légèrement apparaître sur son front trois points de la même couleur que sa chevelure, disposés de façon verticale.

Je n'peux plus me retenir. Je prends une grande inspiration et sens la brûlure de l'eau qui pénètre dans mes poumons, puis, juste avant de m'évanouir, j'entends la femme appeler :

– Ez !

CHAPITRE 20

NOIR DE JAIS

Brusquement je repris ma respiration, trempé de la tête aux pieds, au moment où j'émergeais, non pas d'un torrent en furie, mais plutôt d'un affreux cauchemar.

– Qu'est-ce qui t'arrive, Ez ? Tu te débattais pendant ton sommeil !

Rya s'était réveillée, elle me regardait avec une expression inquiète, sa main apposée sur ma poitrine tentant de faire ralentir mon cœur qui battait à m'en faire presque mal.

J'avais de la peine à reprendre mon souffle, et il me fallut quelques instants pour remettre mes idées en place. Je n'avais jamais de ma vie tout entière fait un rêve qui semble à ce point réel. Je ressentais le besoin de sortir et d'aller respirer l'air de la mer sur le pont.

Je regardais les lumières de la ville portuaire qui se reflétaient en des milliers de petits points scintillants sur des vaguelettes s'amusant à faire tanguer notre embarcation.

Quelques instants plus tard, j'étais appuyé sur la rambarde du pont côté tribord, revenant lentement à la réalité, quand des mains délicates vinrent effleurer mes hanches pour glisser et remonter en une caresse sur mon torse.

C'était Rya qui m'avait rejoint, après avoir juste enfilé, comme seul vêtement, ma chemise. Elle se blottissait contre mon dos.

— Qu'est-ce qui ne va pas ? C'est ton rêve qui te perturbe à ce point ? Ou tu viens de te rendre compte que tu t'étais trompé ?

Je me retournai vers elle.

— Comment ça, trompé ? À quel sujet ?

Je me demandais à quoi elle faisait allusion. Je devais avoir l'air inquiet car elle prit une expression amusée.

— Sur le fait que je n'étais peut-être pas la femme de tes rêves, et peut-être qu'une autre plus intéressante t'attendait dans un pays lointain.

Je lui fis un sourire avant de l'enlacer tendrement avec un soupir de soulagement.

— Non, je repensais à mon rêve, il était vraiment étrange. Tout d'abord j'étais perdu, seul. Puis il y a eu ce monstre et Duncan qui essayaient de me tailler en pièce.

Et sans avoir le temps de comprendre ce qui se passait, soudainement j'étais dans mon appartement avec la sensation que j'avais rêvé notre rencontre et toute l'aventure que nous avions vécue. C'était comme un rêve dans un rêve, ou plutôt un cauchemar dans un cauchemar, et jamais ça ne m'était encore arrivé.

Elle me rassura de son mieux en me disant que c'était tout à fait normal. Qu'après avoir traversé de telles péripéties, le subconscient avait du mal à faire la part des choses et que, comme dans tous les rêves, tout se mélangeait pour raconter une histoire bien souvent sans queue ni tête.

— Ne t'inquiète pas Ez, toute cette histoire est désormais derrière nous et la seule chose qui devrait te préoccuper c'est comment tu vas faire maintenant pour vivre une vie sans tous ces grands huit émotionnels.

Rya avait raison ! Je devais maintenant apprendre à simplement prendre le temps et profiter de la chance que j'avais de pouvoir être tout simplement vivant, accompagné d'amis fidèles et surtout de cette femme sortie d'une histoire légendaire. La plus exceptionnelle que j'aurais pu rêver d'avoir pour partager mon existence.

— Au moins tu ne rêvais pas d'une autre femme, me dit-elle sur le ton de l'humour.

– En fait oui, il y avait une femme !

Je lui racontai la fin de mon rêve, cette rivière qui m'avait avalé après avoir pénétré et inondé mon appartement. La peur que j'avais ressentie, pensant mourir noyé, et pour finir cette curieuse femme marquée de trois points sur le front et portant une chevelure bleutée, nageant comme une sirène mais dépourvue de queue. Elle m'avait même appelé par mon nom.

Rya, au fur et à mesure de mon récit, s'était dégagée lentement de notre étreinte, l'air absorbée par ce que j'étais en train de lui raconter. Puis, une fois que j'eus fini de lui expliquer mon rêve, ce fut elle à présent qui parut songeuse. Je repris sa plaisanterie.

– Rya ? Ne me dis pas que tu es jalouse d'une femme que j'ai vue dans un rêve ?

Elle me regardait fixement dans les yeux, comme absente et en pleine réflexion.

Puis, après s'être reprise, elle finit par briser le léger silence qui s'était installé.

– Je sais que tu vas me prendre pour une folle, mais…

Quoi que puisse être ce que Rya était sur le point de me dévoiler, rien ne pourrait me paraître plus étrange que tout ce que nous avions déjà dû traverser.

– La femme de ton rêve... Je crois que... c'était ma sœur !

Eh bien, je m'étais trompé, visiblement elle pouvait encore me surprendre !

– Ta sœur ?

– Oui, elle s'appelle Naïa, et d'après ce que tu me racontes elle semblerait avoir besoin d'aide.

Elle m'expliqua que Naïa était une nymphe de l'eau, que l'on nomme plus fréquemment des naïades.

Elle avait le pouvoir d'influencer les eaux douces et de communiquer par les rêves. Je ne comprenais pas pourquoi alors elle ne s'était pas directement adressée à Rya au travers de l'un de ses rêves. Mais je compris finalement, car celle-ci m'expliqua que c'était plus facile pour Naïa de pénétrer les songes des humains, comme elle et ses semblables le faisaient depuis des temps immémoriaux.

Nous retournâmes nous coucher la tête pleine d'interrogations sur ce qu'il venait de se produire.

J'avais de la peine à trouver le sommeil après ces nouveaux rebondissements. Rya, après avoir longtemps gardé les yeux ouverts, finit par s'endormir.

Je la rejoignis, bercé par le roulis et le bruit des vagues délicates venant heurter la coque du bateau.

Au petit matin, lorsque se faisaient entendre les premiers chants d'oiseaux de mer venant virevolter au-dessus des bateaux de pêche à la recherche de quelques petits poissons, nous allâmes raconter mon rêve étrange à nos deux compagnons. Après une première réaction amusée de la part du capitaine, Archi prit la parole, la bouche encore pleine de croissant aux amandes qu'il essayait d'avaler, avec des miettes tout autour de la bouche.

– Nous devons prendre ce rêve au sérieux.

Au début, j'avais du mal à imaginer qu'un scientifique comme lui puisse porter autant d'intérêt à un simple rêve. Puis, en repensant aux expériences qu'il avait menées durant toutes ces dernières années, j'en conclus qu'il n'était pas étonnant qu'il s'intéresse à toutes ces choses qui dépassaient de loin mon entendement.

– Visiblement, d'après ce que tu nous as décrit, Ez, elle semblait être en danger. Ce doit être la Grande Arche qui est dans l'ombre de cette histoire, du moins, ça ne m'étonnerait pas. Mais comment savoir quelle direction prendre pour aller lui porter secours ?

Rya, qui s'était éloignée et regardait l'horizon, prit la parole :

– Nous devons aller dans cette direction.

Elle pointa son index en indiquant le nord.

– La source d'où ma sœur puise son pouvoir se trouve dans les steppes glaciales d'Islande.

Le capitaine, qui se tenait le front en relevant légèrement sa casquette, réagit :

– L'Islande, bon sang, ça va nous faire une sacrée trotte ! Mais bon on a plus rien à faire ici alors moi j'suis d'avis qu'il faut aller prêter main forte à la sœurette de la p'tite dame, pas vrai doc ?

Archi répondit positivement d'un hochement de tête et puis tous se tournèrent vers moi, attendant un signe de ma part pour que nous soyons enfin tous d'accord.

Je regardais le capitaine, qui avait sorti son plus beau sourire, et Archi et Rya qui restaient pendus à mes lèvres.

Je me dirigeai vers la rambarde du côté du pont où Rya nous avait indiqué la direction à suivre, et après avoir pris une profonde respiration, je m'exclamai :

– Très bien, allons-y !

C'est ainsi qu'après avoir mis en place les derniers préparatifs et refait le plein de provisions, nous nous apprêtions à lever l'ancre et prendre la mer dans les meilleures conditions possibles.

Les flots étaient calmes, au loin passait une colonie d'oiseaux marins qui semblait suivre le même cap que nous. Je regardais toute cette étendue d'eau qui s'ouvrait devant le *Volubilis Fynigann*, nous offrant toute la splendeur de son infinité bleutée.

Archi s'affairait à bichonner son bébé avec une peau de chamois pour faire briller sa carrosserie d'un noir de jais. Le capitaine à la barre, qui consultait quelques cartes marines pour essayer de planifier notre itinéraire, me donna l'ordre d'aller accrocher solidement quelques caisses sur le pont.

Je m'exécutai et, tout en m'affairant à ma tâche, je ne pouvais défaire mes yeux de Rya, faisant figure de proue à l'avant du navire, regardant droit devant vers notre destinée incertaine qui nous offrait la promesse de nouvelles aventures palpitantes.

Remerciements

Je tiens tout d'abord à remercier ma famille et mon entourage qui me suivent depuis des années dans mes divers choix de vie et mes explorations artistiques.

Ma femme et fidèle partenaire, toujours à mes côtés, m'apportant le soutien nécessaire pour affronter les tempêtes de la vie mais surtout pour faire briller sur moi des rayons de lumière en me donnant tant d'amour au quotidien.

Mes enfants que je vois grandir chaque jour de plus en plus. Vous êtes mes plus belles notes de musique, les couleurs qui font vibrer mes peintures et les mots qui restent encore à inventer pour réussir à exprimer tout l'amour que j'ai pour vous.

Mon père, qui a toujours été là pour moi. C'est toi l'artiste qui a su faire d'un petit garçon rêveur l'homme que je suis à présent.

Alla mia Nonna Santina, è grazie a tutti vostri sforzi e sacrifici che tutto questo è stato possibile.

Vi voglio tanto bene.

Mes frérots, la fine équipe du vendredi soir, présents depuis toutes ces années, ainsi que les amis et artistes en tout genre qui ont échangé et partagé un petit bout de chemin avec moi.

Un grand merci à Lionel Truan de m'avoir mis le pied à l'étrier et pour tous tes bons conseils.

Et merci à vous, chers lecteurs, de m'avoir lu jusqu'ici ;)

SOMMAIRE